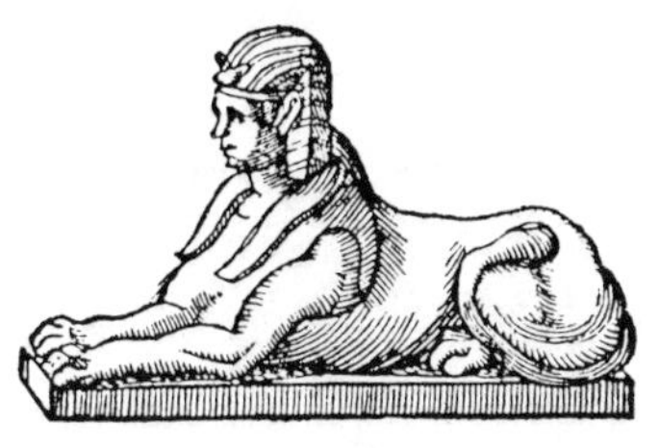

Las Tres Edades

Y dijo la Esfinge:

Se mueve a cuatro patas por la mañana,

camina erguido al mediodía

y utiliza tres pies al atardecer

¿Qué cosa es?

Y Edipo respondió: El hombre.

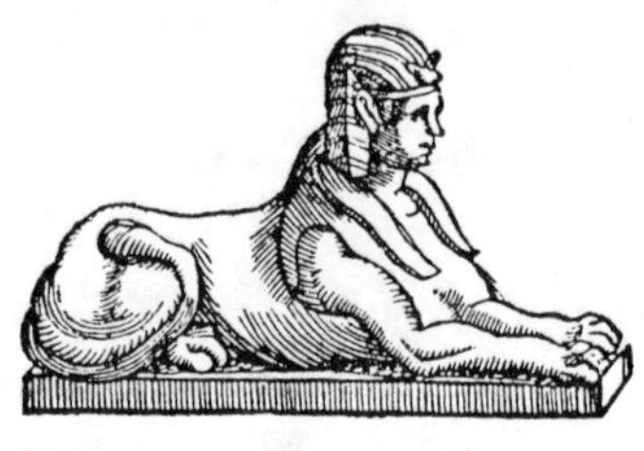

EL AUTOR

CARMEN MARTÍN GAITE NACIÓ EN SALAMANCA EN 1925. EN 1955 PUBLICÓ SU PRIMERA NOVELA, *EL BALNEARIO*, Y EN 1958 *ENTRE VISILLOS*, QUE OBTUVO EL PREMIO NADAL. HA ESCRITO VARIAS NOVELAS, ENTRE LAS CUALES DESTACAN *RETAHÍLAS* Y *EL CUARTO DE ATRÁS* (PREMIO NACIONAL DE LITERATURA 1978), ASÍ COMO LIBROS DE RELATOS Y ENSAYOS. *USOS AMOROSOS DEL DIECIOCHO EN ESPAÑA* FUE EL TEMA DE SU TESIS DOCTORAL (EDITADA EN 1972); MÁS TARDE *USOS AMOROSOS DE LA POSTGUERRA ESPAÑOLA* OBTUVO EL PREMIO ANAGRAMA DE ENSAYO EN 1987. EN 1988 OBTUVO EL PREMIO PRÍNCIPE DE ASTURIAS. TAMBIÉN HA PUBLICADO TEXTOS INFANTILES COMO *EL PASTEL DEL DIABLO* Y *EL CASTILLO DE LAS TRES MURALLAS*. *CAPERUCITA EN MANHATTAN* ES SU PRIMERA NOVELA DESPUÉS DE DOCE AÑOS.

CAPERUCITA EN MANHATTAN

CARMEN MARTÍN GAITE

Con trece ilustraciones de la autora

EDICIONES SIRUELA

En cubierta: *La estatua de la libertad*
de Norman Rockwell (1946)

Foto contracubierta: *Federico Latorre*

Colección dirigida por Michi Strausfeld

Diseño gráfico: *J. Siruela*

1.ª edición: noviembre de 1990
2.ª edición: diciembre de 1990
3.ª edición: enero de 1991
4.ª edición: febrero de 1991
5.ª edición: abril de 1991
6.ª edición: mayo de 1991
7.ª edición: julio de 1991
8.ª edición: octubre de 1991

Plaza de Manuel Becerra, 15. «El Pabellón»
28028 Madrid. Tels. 355 57 20 / 355 22 02
Telefax: 355 22 01
Printed and made in Spain

ÍNDICE

Primera parte: SUEÑOS DE LIBERTAD

Segunda parte: LA AVENTURA

Dedicatoria
Para Juan Carlos Eguillor,
por la respiración boca a
boca que nos insufló a Caperucita y a mí, perdidas en
Manhattan a finales de
aquel verano horrible.
Cmg 90

Primera parte

SUEÑOS DE LIBERTAD

A veces lo que sueño creo que es verdad, y lo que me pasa me parece que lo he soñado antes... Además, lo que ha pasado no está escrito en ninguna parte y al fin se olvida. En cambio, lo que está escrito es como si hubiera pasado siempre.

(Elena Fortún, *Celia en el colegio.)*

UNO

Datos geográficos de algún interés y presentación de Sara Allen

a ciudad de Nueva York siempre aparece muy confusa en los atlas geográficos y al llegar se forma uno un poco de lío. Está compuesta por diversos distritos, señalados en el mapa callejero con colores diferentes, pero el más conocido de todos es Manhattan, el que impone su ley a los demás y los empequeñece y los deslumbra. Le suele corresponder el color amarillo. Sale en las guías turísticas y en el cine y en las novelas. Mucha gente se cree que Manhattan es Nueva York, cuando simplemente forma parte de Nueva York. Una parte especial, eso sí.

Se trata de una isla en forma de jamón con un pastel de espinacas en el centro que se llama Central Park. Es un gran parque alargado por donde resulta excitante caminar de noche, escondiéndose de vez en cuando detrás de los árboles por miedo a los ladrones y asesinos que andan por todas partes y sacando un poquito la cabeza para ver brillar las luces de los anuncios y de los rascacielos que flanquean el pastel de espinacas, como un ejército de velas encendidas para celebrar el cumpleaños de un rey milenario.

Pero a las personas mayores no se les ve alegría en la cara cuando cruzan el parque velozmente en taxis amarillos o coches grandes de charol, pensando en sus negocios y mirando nerviosos el reloj de pulsera porque llegan con retraso a algún sitio. Y los niños, que son los que más disfrutarían corriendo esa aventura nocturna, siempre están metidos en sus casas viendo la televisión, donde aparecen muchas historias que les avisan de lo peligroso que es salir de noche. Cambian de canal con el mando a distancia y no ven más que gente corriendo que se escapa de algo. Les entra sueño y bostezan.

Manhattan es una isla entre ríos. Las calles que quedan a la derecha de Central Park y corren en sentido horizontal terminan en un río que se llama el East River, por estar al este, y las de la izquierda en otro: el río Hudson. Se abrazan uno con otro por abajo y por arriba. El East River tiene varios puentes, a cual más complicado y misterioso, que unen la isla por esa parte con otros barrios de la ciudad, uno de los cuales se llama Brooklyn, como también el famoso puente que conduce a él. El puente de Brooklyn es el último, el que queda más al sur, tiene mucho tráfico y está adornado con hilos de luces formando festón que desde lejos parecen farolillos de verbena. Se encienden cuando el cielo se empieza a poner malva y ya todos los niños han vuelto del colegio en autobuses a encerrarse en sus casas.

Vigilando Manhattan por la parte de abajo del jamón, donde se mezclan los dos ríos, hay una islita con una estatua enorme de metal verdoso que lleva una antorcha en su brazo levantado y a la que vienen a visitar todos los turistas del mundo. Es la estatua de la Libertad, vive allí como un santo en su santuario, y por las noches, aburrida de que la hayan retratado tantas veces durante el día, se duerme sin que nadie lo note. Y entonces empiezan a pasar cosas raras.

Los niños que viven en Brooklyn no todos se duermen por la noche. Piensan en Manhattan como en lo más cercano y al mismo tiempo lo más exótico del mundo, y su barrio les parece un pueblo perdido donde nunca pasa nada. Se sienten como aplastados bajo una nube densa de cemento y vulgaridad. Sueñan con cruzar de puntillas el puente que une Brooklyn con la isla que brilla al otro lado y donde imaginan que toda la gente está despierta bailando en locales tapizados de espejo, tirando tiros, escapándose en coches de oro y viviendo aventuras misteriosas. Y es que cuando la estatua de la Libertad cierra los ojos, les pasa a los niños sin sueño de Brooklyn la antorcha de su vigilia. Pero esto no lo sabe nadie, es un secreto.

Tampoco lo sabía Sara Allen, una niña pecosa de diez años que vivía con sus padres en el piso catorce de un bloque de viviendas bastante feo, Brooklyn adentro. Pero lo único que sabía es que en cuanto sus padres sacaban la bolsa negra de la basura, se lavaban los dientes y apagaban la luz, todas las luces del mundo le empezaban a ella a correr por dentro de la cabeza como una rueda de fuegos artificiales. Y a veces le daba miedo, porque le parecía que la fuerza aquella la levantaba en vilo de la cama y que iba a salir volando por la ventana sin poderlo evitar.

Su padre, el señor Samuel Allen, era fontanero, y su madre, la señora Vivian Allen, se dedicaba por las mañanas a cuidar ancianos en un hospital de ladrillo rojo rodeado por una verja de hierro. Cuando volvía a casa, se lavaba cuidadosamente las manos, porque siempre le olían un poco a medicina, y se metía en la cocina a hacer tartas, que era la gran pasión de su vida.

La que mejor le salía era la de fresa, una verdadera especialidad. Ella decía que la reservaba para las fiestas solemnes, pero no era verdad, porque el placer que sentía al verla terminada era tan grande que había acabado por convertirse en un vicio rutinario, y siempre encontraba en el calendario o en sus propios recuerdos alguna fecha que justificase aquella conmemoración. Tan orgullosa estaba la señora Allen de su tarta de fresa que nunca le quiso dar la receta a ninguna vecina. Cuando no tenía más remedio que hacerlo, porque le insistían mucho, cambiaba las cantidades de harina o de azúcar para que a ellas les saliera seca y requemada.

—Cuando yo me muera —le decía a Sara con un guiño malicioso—, dejaré dicho en mi testamento dónde guardo la receta verdadera, para que tú le puedas hacer la tarta de fresa a tus hijos.

«Yo no pienso hacerles nunca tarta de fresa a mis hijos», pensaba Sara para sus adentros. Porque había llegado a aborrecer aquel sabor de todos los domingos, cumpleaños y fiestas de guardar.

Pero no se atrevía a decírselo a su madre, como tampoco se atrevía a confesarle que no le hacía ninguna ilusión tener hijos para adornarlos con sonajeros, chupetes, baberos y lacitos, que lo que ella quería de mayor era ser actriz y pasarse todo el día tomando ostras con champán y comprándose abrigos con el cuello de armiño, como uno que llevaba de joven su abuela Rebeca en una foto que estaba al principio del álbum familiar, y que a Sara le parecía la única fascinante. En casi todas las demás fotos aparecían personas difíciles de distinguir unas de otras, sentadas en el campo alrededor de un mantel de cuadros o a la mesa de algún comedor donde se estaba celebrando una fiesta olvidada, cuya huella unánime era la tarta. Siempre había entre los manjares restos de tarta o una tarta entera; y a la niña le aburría mirar a aquellos comensales sonrientes porque también ellos tenían cara de tarta.

Rebeca Little, la madre de la señora Allen, se había casado varias veces y había sido cantante de *music-hall*. Su nombre artístico era Gloria Star. Sara lo había visto escrito en algunos viejos programas que ella le había enseñado. Los guardaba bajo llave en un mueblecito de tapa ondulada. Pero ahora ya no llevaba cuellos de armiño. Ahora vivía sola en Manhattan, por la parte de arriba del jamón, en un barrio más bien pobre que se llamaba Morningside. Era muy aficionada al licor de pera, fumaba tabaco de picadura y tenía un poco perdida la memoria. Pero no porque fuera demasiado vieja, sino porque a fuerza de no contar las cosas, la memoria se oxida. Y Gloria Star, tan charlatana en tiempos, no tenía ya a quién enamorar con sus historias, que eran muchas, y algunas inventadas.

Su hija, la señora Allen, y su nieta, Sara, iban todos los sábados a verla y a ordenarle un poco la casa, porque a ella no le gustaba limpiar ni recoger nada. Se pasaba el día leyendo novelas y tocando foxes y blues en un piano negro muy desafinado; así que por todas partes se apilaban los periódicos, las ropas sin colgar, las botellas vacías, los platos sucios y los ceniceros llenos de colillas de toda la semana. Tenía un gato blanco, cachazudo y perezoso que atendía por Cloud, pero que nada más abría los ojos cuando su ama se ponía a tocar el piano; el resto del tiempo lo consumía dormitando encima de una butaca de terciopelo verde. A Sara le daba la impresión de que su abuela tocaba el piano nada más que para que el gato se despertara y le hiciera un poco de caso.

La abuela nunca venía a verlos a Brooklyn ni los llamaba por teléfono, y la señora Allen se quejaba de que no quisiera venirse a vivir con ellos para poderla cuidar y darle medicinas como a los ancianitos de su hospital.

—Ellos me dicen que soy su ángel guardián, que nadie empuja con más mimo que yo un carrito de ruedas. ¡Ay qué sino tan triste! —suspiraba la señora Allen.

—No entiendo. ¿No dices que te gusta ese trabajo? —la interrumpía su marido.

—Sí.

—¿Entonces, qué es lo que te parece tan triste?

—Pensar que unos enfermos desconocidos me quieren más que mi propia madre, que no me necesita para nada.

—Es que ella no está enferma —replicaba el señor Allen—. Además, ¿no te ha dicho muchas veces que le gusta vivir sola?

—Claro que me lo ha dicho.

—Pues entonces, déjala en paz.

—Me da miedo que le roben o le pase algo. Le puede dar de repente un ataque al corazón, dejarse abierto el gas por la noche, caerse en el pasillo... —decía la señora Allen, que siempre estaba barruntando catástrofes.

—¡Qué le va a pasar! Ya verás cómo no le pasa nada —decía él—. Ésa nos enterrará a todos. ¡Menuda lagarta!

El señor Allen siempre llamaba «ésa» a su suegra. La despreciaba porque había sido cantante de *music-hall*, y ella a él porque era fontanero. De esto y de otros asuntos familiares se había enterado Sara, porque su dormitorio y el de sus padres estaban separados por un tabique muy fino y, como siempre se dormía más tarde que ellos, alguna noche los oía discutir.

Cuando la voz del señor Allen subía mucho de tono, su mujer le decía:

—No hables tan alto, Sam, que puede oírnos Sara.

Ésta era una frase que la niña recordaba desde su más tierna infancia. Porque ya en aquel tiempo (más todavía que ahora) había cogido la costumbre de espiar las conversaciones de sus padres a través del tabique. Sobre todo por ver si salía a relucir en ellas el nombre del señor Aurelio. Durante aquellas noches confusas de sus primeros insomnios infantiles, ella soñaba mucho con el señor Aurelio.

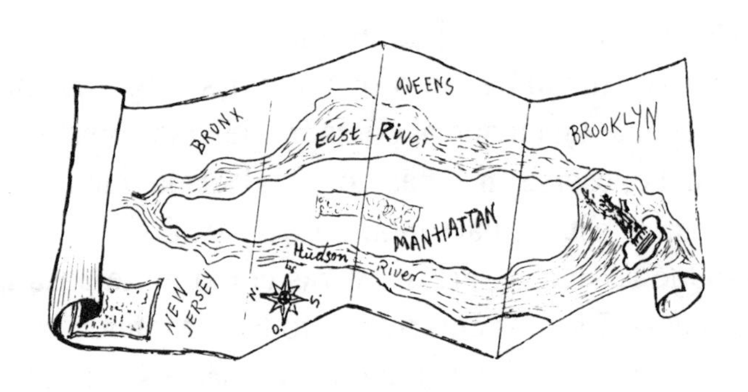

DOS

Aurelio Roncali y El Reino de los Libros. Las farfanías

ara había aprendido a leer ella sola cuando era muy pequeña, y le parecía lo más divertido del mundo.

—Ha salido lista de verdad —decía la abuela Rebeca—. Yo no conozco a ninguna niña que haya hablado tan clarito como ella, antes de romper a andar. Debe ser un caso único.

—Sí, es lista —contestaba la señora Allen—, pero hace unas preguntas muy raras; vamos, que no son normales en una niña de tres años.

—¿Por ejemplo, qué?

—Que qué es morirse, ya ve usted. Y que qué es la libertad. Y que qué es casarse. Una vecina mía dice que a lo mejor habría que llevarla a un psiquiatra.

La abuela se reía.

—¡Déjate de psiquiatras ni de tonterías por el estilo! A los niños lo que hay que hacer es contestarles a lo que te preguntan, y si no les quieres decir la verdad, porque a lo mejor no sabes tú misma lo que es la verdad, pues les cuentas un cuento que parezca verdad. Mándamela aquí, que yo en eso de lo que es casarse y lo que es la libertad la puedo espabilar mucho.

—¡Válgame Dios, cuándo hablará usted en serio, madre! No sé a qué edad va a sentar la cabeza.

—Yo nunca. Sentar la cabeza debe ser aburridísimo. Por cierto, a ver si me mandas a Sara algún domingo, o la vamos a buscar nosotros, que Aurelio la quiere conocer.

Aurelio era un señor que por entonces vivía con la abuela. Pero Sara nunca lo llegó a ver. Sabía que tenía una tienda de libros y juguetes antiguos, cerca de la catedral de San Juan el Divino, y a veces le mandaba algún regalo por medio de la señora Allen. Por ejemplo, un libro con la historia de Robinson Crusoe al alcance de los niños, otro con la de Alicia en el País de las Maravillas y otro con la de Caperucita Roja. Fueron los tres primeros libros que tuvo Sara, aun antes de leer bien. Pero traían unos dibujos tan detallados y tan preciosos que permitían conocer perfectamente a los personajes e imaginar los paisajes donde iban ocurriendo sus distintas aventuras. Aunque no tan distintas, porque la aventura principal era la de que fueran por el mundo ellos solos, sin una madre ni un padre que los llevaran cogidos de la mano, haciéndoles advertencias y prohibiéndoles cosas. Por el agua, por el aire, por un bosque, pero ellos solos. Libres. Y naturalmente podían hablar con los animales, eso a Sara le parecía lógico. Y que Alicia cambiara de tamaño, porque a ella en sueños también le pasaba. Y que el señor Robinson viviera en una isla, como la estatua de la Libertad. Todo tenía que ver con la libertad.

Sara, antes de saber leer bien, a aquellos cuentos les añadía cosas y les inventaba finales diferentes. La viñeta que más le gustaba era la que representaba el encuentro de Caperucita Roja con el lobo en un claro del bosque; cogía toda una página y no podía dejarla de mirar. En aquel dibujo, el lobo tenía una cara tan buena, tan de estar pidiendo cariño, que Caperucita, claro, le contestaba fiándose de él, con una sonrisa encantadora. Sara también se fiaba de él, no le daba ningún miedo, era imposible que un animal tan simpático se pudiera comer a nadie. El final estaba equivocado. También el de Alicia, cuando dice que todo ha sido un sueño, para qué lo tiene que decir. Ni tampoco Robinson debe volver al mundo civilizado, si estaba tan contento en la isla. Lo que menos le gustaba a Sara eran los finales.

Otro regalo que trajo un día la señora Allen de parte de Aurelio fue un plano de Manhattan, incluido dentro de un folleto verde con muchas explicaciones y dibujos. Lo primero que ella entendió, al desplegarlo con ayuda de su padre, y orientada por sus explicaciones, fue que Manhattan era una isla. La miró mucho rato.

—Tiene forma de jamón —dijo.

Y al señor Allen le hizo tanta gracia que se lo contó a todos sus amigos, y a ellos también les divirtió mucho la ocurrencia y se llegó a convertir en nomenclatura popular. «No, hombre, eso está por la parte de arriba del jamón, como dice la chica de Samuel.» Y cuando su padre algún domingo la llevaba con ellos, los que ya la conocían se la presentaban a los otros como «la niña que había inventado lo del jamón». Y Sara, que no lo dijo por hacer gracia, se sentía a disgusto con que se rieran tanto. La verdad es que los amigos de su padre siempre se reían por todo y eran bastante tontos. Además, no hacían más que hablar de béisbol. Ella a Aurelio se lo figuraba de otra manera.

Pensaba en él muchas veces, con esa mezcla de emoción y curiosidad que despiertan en nuestra alma los personajes con los que nunca hemos hablado y cuya historia se nos antoja misteriosa. Como el sombrerero de Alicia en el país de las maravillas, como la estatua de la Libertad, como Robinson al llegar a la isla. La única diferencia era que sus padres a estos personajes no los sacaban en sus conversaciones y a Aurelio, en cambio, sí. Y con mucha frecuencia.

—¿Pero quién es Aurelio? —le preguntaba a su madre, aunque con pocas esperanzas de recibir una respuesta satisfactoria, porque las de su madre nunca lo eran.

—El marido de la abuela.

El señor Allen se reía cuando le oía decir esto.

—Ya, ya, marido. A cualquier cosa llama la gente marido.

—¿Entonces es mi abuelo?

La señora Allen le daba un codazo al señor Allen y le hacía un gesto muy raro con las cejas. Eso era el aviso de que prefería cambiar de conversación.

—¡No le metas líos en la cabeza a la niña, Sam! —protestaba.

—¿Pero es mi abuelo o no?

—Desde luego a tu abuela la trata como a una reina —decía él—. Como a una verdadera reina. ¡Los reyes de Morningside!

—No le hagas caso a tu padre, que siempre está de broma, ya lo sabes —intervenía la señora Allen.

Sí. Sara lo sabía. Pero las bromas de las personas mayores no conseguía entenderlas, porque no tenían ni pies ni cabeza. Y lo que menos gracia le hacía era que las usaran para contestar a preguntas que ella no se estaba tomando a risa.

De todas maneras, la noticia de que Aurelio tratara a la abuela como a una reina fue muy importante para dar pie a las fantasías de Sara. Claro: era un rey. Y en eso la niña no necesitaba aclaraciones. Prefería inventarse por su cuenta cómo era el país sobre el cual mandaba, ya que no la dejaban ir a verlo.

La librería de viejo de Aurelio Roncali se llamaba Books Kingdom, o sea El Reino de los Libros, y la marca, estampada sobre la primera hoja de cada uno, representaba una corona de rey encima de un libro abierto. Sara tenía muchas ganas de ir a aquella tienda, pero nunca la llevaban, porque decían que estaba muy lejos. Se la imaginaba como un país chiquito, lleno de escaleras, de recodos y de casas enanas, escondidas entre estantes de colores, y habitadas por unos seres minúsculos y alados con gorro en punta. El señor Aurelio sabía que vivían allí, aunque sabía también que sólo salían de noche, cuando él ya se había ido y apagado todas las luces. Pero a ellos no les importaba eso, porque eran fosforescentes en la oscuridad, como los gusanos de luz. Segregaban una especie de tela de araña, también luminosa, y se descolgaban por los hilos brillantes para trasladarse de un estante a otro, de un barrio del reino a otro. Se metían entre las páginas de los libros y contaban historias que se quedaban dibujadas y escritas allí. Su lenguaje era un zumbido como de música de jazz, pero en susurro. Para vivir en Books Kingdom la única condición era que había que saber contar historias.

Pero de pronto Sara, cuando estaba inventando esta historia y soñando con vivir también ella en Books Kingdom, aunque fuera teniendo que reducirse de tamaño como Alicia, se quedaba mirando a las paredes de la casa donde vivía de verdad en Brooklyn, de donde casi nunca salía. Y era como despertarse, como caerse de las nubes del país de las maravillas. Y entonces se le empezaban a agolpar las preguntas sensatas. Por ejemplo, por qué el rey de aquella tribu de cuentistas enanos y fosforescentes le mandaba regalos. Y por qué no podía conocerlo ella, si sus padres hablaban de él como si lo conocieran. ¿Por qué no venía él en persona a traerle los libros? ¿Era alto o bajo? ¿Joven o viejo? Y sobre todo, ¿era su amigo o no?

—Tu abuelo no es, eso que se te meta bien en la cabeza —le dijo su madre un día en que la niña había vuelto a darle el pelmazo con sus preguntas.

Y, para que se quedara más convencida, había ido a buscar el álbum familiar y le había señalado una fotografía muy borrosa del principio, donde aparecía una mujer muy guapa y muy alta vestida de blanco y cogida del brazo de un hombre mucho más bajito que ella que miraba a la cámara con cara de susto.

—Fíjate bien. Ése es tu abuelo Isaac, que en paz descanse. O sea mi padre. Y ella mamá. ¿Entendido?

—No mucho —dijo Sara, sin gran interés.

—Pues se acabó. Son tus abuelos y punto.

El asunto de los parentescos, de puro raro que era, a Sara le aburría y no le producía tanta curiosidad como otros, así que en el fondo acabó dándole igual que Aurelio no fuera su abuelo.

Morningside es un barrio de Manhattan que, como ya se ha dicho, pilla al norte, por la parte de arriba del jamón. Antes de nacer Sara, la abuela vivía también en Manhattan, pero al sur, justo al otro lado del East River. Sara estaba acostumbrada a oír hablar a su madre con nostalgia de esa casa, donde también ella había vivido de soltera. La llamaba «la casa de la avenida C». Y parecía echarla de menos, sobre todo porque estaba más cerca de Brooklyn que la otra y se hubiera tardado menos en ir. Pero nunca mencionaba ninguna otra cualidad que hiciera entender si era bonita o fea.

Cuando estaba a punto de nacer Sara —que vino al mundo tres años después de casarse sus padres—, la abuela Rebeca se había mudado con aquel misterioso marido o lo que fuera al barrio de Morningside, cerca de donde él tenía la librería de viejo. Era la única casa de la abuela que Sara había conocido, aunque la verdad es que al principio de su infancia, más bien poco. Porque entonces, en los tiempos de Aurelio, casi nunca llevaban a la niña por allí, ni tampoco iba mucho la señora Allen. Y como en los años en que un niño aprende a leer y a soñar es cuando lo desconocido se rodea más de magia, a Sara el barrio de Morningside le parecía entonces mucho más distante e irreal, la catedral de San Juan el Divino un castillo encantado, y aquella casa de Manhattan desde cuyas ventanas se divisaba un parque alargado y solitario, una casa de novela.

Claro que Sara, por muy lista que fuera, no había leído todavía ninguna novela, pero cuando luego las leyó, se acordaba de cómo pensaba de chiquitita en la casa de Morningside y supo que había sido para ella una casa de novela.

Sus primeras fantasías infantiles se habían tejido en torno a aquel nombre —Morningside—, que le parecía maravilloso por el sonido que tenía al decirlo, como de aleteo de pájaros, y también, claro, porque significaba «al lado de la mañana», que es una cosa muy bonita. Pero además es que allí, es decir al lado de la mañana, vivían Aurelio y Rebeca, dos seres tan distintos a Samuel Allen y su mujer que costaba trabajo imaginar que fueran parientes suyos.

O sea dos personajes de novela. Porque en las novelas —como supo Sara más tarde— no sale gente corriente.

De todas maneras, mientras la abuela estuvo viviendo con el rey-librero de Morningside, el señor Allen, aunque bromeara sobre ellos, parecía tenerles a los dos más simpatía que su mujer. Y eso era lo raro. Por lo menos respetaba sus costumbres y no los juzgaba ni le ponían nervioso; allá ellos con su vida. Se limitaba a llamarlos «los de Morningside».

—Esta mañana me han telefoneado a la fontanería los de Morningside —decía alguna noche, a la hora de la cena.

A la señora Allen, en cambio, cuando oía mencionar a los de Morningside, le entraba una especie de tic nervioso que la hacía pestañear tres veces seguidas.

—¡Vaya, hombre! ¿Y por qué no llaman aquí?

El señor Allen seguía comiendo tan tranquilo o mirando la televisión, o las dos cosas al mismo tiempo.

—Y a mí qué me cuentas, chica. Habrán llamado y estarías comunicando. ¿No es tu madre? Pregúntaselo tú. A lo mejor le aburre que siempre le estés dando consejos, como si fuera una niña chica.

—Es que es como una niña chica.

—Bueno, pero yo no, y también me los das. Tus consejos nos aburren a todos.

—Está bien. ¿Y que querían?

—Decir que ella se iba esta tarde a cantar a Nyack. O sea que ya se habrá ido. Va a estar dos días allí.

El nombre de Gloria Star todavía se recordaba en algunas salas de fiesta de tercera categoría, y aún la invitaban de cuando en cuando a cantar blues, apoyada contra un viejo piano.

—¡Vaya por Dios! —suspiraba la señora Allen—. Por eso no le gustaba hablar conmigo, claro, porque sabe lo que le iba a decir.

—¿Pero por qué le tienes que decir nada? ¿A ti qué te importa? —decía el señor Allen—. Déjala que cante, si es su gusto y él no se lo impide, que al fin y al cabo es el único que tendría derecho.

—Hasta que se harte de ella. Y luego lo va a sentir. Cuando pierda a éste, ya no va a estar en edad de encontrar otro ni parecido. Le temo a la vejez de mi madre, Samuel, te lo digo de verdad.

—Pues yo no. Cada uno entiende la vida a su manera. Deja en paz a los de Morningside.

Sara, en aquellos primeros años, sólo recordaba haber ido tres o cuatro veces a la casa de Morningside.

El gato Cloud no existía, y había a la entrada un perchero con cabezas doradas de león. La puerta de la casa la abría una asistenta negra y muy grandota, que iba siempre de manga corta, aunque fuera invierno. Se llamaba Sally.

Sara, a la abuela, la recordaba tal como la había visto por primera vez en la casa de Morningside. Lo que más le impresionó aquel día es que le había parecido más joven que su madre. Llevaba puesto un traje de seda verde y estaba sentada ante un tocador de tres espejos lleno de tarritos que brillaban. La abuela, mientras se maquillaba delante del espejo, canturreaba siguiendo los sones de una canción italiana que estaba sonando en el *pick-up*:

Parlami d'amore,
Mariú,
tutta la mia vita
sei tu...

Parecía otra la abuela entonces. También la casa de Morningside. Más adelante, cuando su padre llamaba «lagarta» a la abuela, Sara pensaba que es que la recordaría, como ella, vestida de verde.

Antes del plano de Manhattan y de los libros de cuentos, el primer regalo que Sara había recibido del rey-librero de Morningside —cuando tenía sólo dos años— fue un rompecabezas enorme. Sus cubos llevaban en cada cara una letra mayúscula diferente, con el dibujo en colores de una flor, fruta o animal cuyo nombre empezara por aquella letra.

Gracias a este rompecabezas, Sara se familiarizó con las vocales y las consonantes, y les tomó cariño, incluso antes de entender para qué servían. Ponía en fila los cubos, les daba la vuelta y combinaba a su capricho las letras que iba distinguiendo unas de otras por aquellos perfiles tan divertidos y peculiares. La E parecía un peine, la S una serpiente, la O un huevo, la X una cruz ladeada, la H una escalera para enanos, la T una antena de televisión, la F una bandera rota. Su padre le había dado un cuaderno grande, con tapas duras como de libro, que le había sobrado de llevar las cuentas de la fontanería. Era de papel cuadriculado, con rayas rojas a la izquierda, y en él empezó a pintar Sara unos garabatos que imitaban las letras y otros que imitaban muebles, cacharros de cocina, nubes o tejados. No veía diferencia entre dibujar y escribir.

Y más tarde, cuando ya leía y escribía de corrido, siguió pensando lo mismo; o sea que no encontraba razones para diferenciar una cosa de otra. Por eso le gustaban mucho los anuncios luminosos que alternaban imágenes con letreros, marilines monroes apagándose y la marca de un dentífrico encendiéndose, en el mismo alero del mismo edificio altísimo, alumbrando la noche en un parpadeo que pasaba del oro al verde, casi a la vez. Porque las letras y los dibujos eran hermanos de padre y madre: el padre el lápiz afilado y la madre la imaginación.

Las primeras palabras que escribió Sara en aquel cuaderno de tapas duras que le había dado su padre fueron río, luna y libertad, además de otras más raras que le salían por casualidad, a modo de trabalenguas, mezclando vocales y consonantes a la buena de Dios. Estas palabras que nacían sin quererlo ella misma, como flores silvestres que no hay que regar, eran las que más le gustaban, las que le daban más felicidad, porque sólo las entendía ella. Las repetía muchas veces, entre dientes, para ver cómo sonaban, y las llamaba «farfanías». Casi siempre le hacían reír.

—Pero ¿de qué te ríes? ¿Por qué mueves los labios? —le preguntaba su madre, mirándola con inquietud.

—Por nada. Hablo bajito.

—¿Pero con quién?

—Conmigo; es un juego. Invento farfanías y las digo y me río, porque suenan muy gracioso.

—¿Que inventas qué?

—Farfanías.

—¿Y eso qué quiere decir?

—Nada. Casi nunca quieren decir nada. Pero algunas veces sí.

—Dios mío, esta niña está loca.

Sara fruncía el ceño.

—Pues para otra vez no te cuento nada. ¡Ya está!

La señora Allen, algunas noches, subía al piso diecisiete, apartamento F, para ver un rato a su vecina la señora Taylor y desahogarse con ella.

—Siempre parece que me está ocultando algún secreto, ya ves, con lo pequeña que es; o como pensando en otra cosa; ¿no te parece raro? Y luego tan arisca. Sale a mi madre.

La señora Taylor, que estaba suscrita a una revista de divulgación científica y era adicta a los programas de televisión donde se hablaba de los complejos de los niños, era quien había sugerido a la señora Allen que llevara a su hija a un psiquiatra. Según ella tenía complejo de superdotada.

—Pero tiene que verla uno que sea bueno —añadía, con gesto de enterada— porque si no, los niños se traumatizan.

—Fíjate, pero uno bueno será carísimo. Quick Plumber no da para tanto. Y luego que Samuel no querría.

Quick Plumber era el nombre del taller de fontanería que tenía montado el señor Allen con otro socio más joven. Y precisamente este socio era el marido de la señora Taylor. Se llamaba Philip, solía vestir de cuero negro, tenía una moto muy grande y formaba parte del grupo de amigos bromistas del señor Allen. A la señora Allen le parecía muy guapo.

Los Taylor tenían un niño muy gordo, un poco mayor que Sara y que en dos o tres ocasiones había bajado a jugar con ella. Pero casi no sabía jugar y siempre estaba diciendo que se aburría y sacándose de los bolsillos abultados de la chaqueta caramelos, pirulís y chicles, cuyas envolturas de papel arrugaba y tiraba desordenadamente por el suelo. Se llamaba Rod. Pero en el barrio le llamaban Chupa-chup.

Rod no tenía el menor complejo de superdotado. Le estorbaba todo lo que tuviera que ver con la letra impresa, y a Sara nunca se le ocurrió compartir con él el lenguaje de las farfanías, que ya al cabo de los cuatro primeros años de su vida contaba con expresiones tan inolvidables como «amelva», «tarindo», «maldor» y «miranfú». Eran de las que habían sobrevivido.

Porque unas veces las farfanías se quedaban bailando por dentro de la cabeza, como un canturreo sin sentido. Y ésas se evaporaban en seguida, como el humo de un cigarrillo. Pero otras permanecían tan grabadas en la memoria que no se podían borrar. Y llegaban a significar algo que se iba adivinando con el tiempo. Por ejemplo, «miranfú» quería decir «va a pasar algo diferente» o «me voy a llevar una sorpresa».

La noche que Sara inventó esa farfanía tardó mucho en dormirse. Se levantó varias veces de puntillas para abrir la ventana y mirar las estrellas. Le parecían mundos chiquitos y maravillosos como el del Reino de los Libros, habitados por gente muy rara y muy sabia, que la conocía a ella y entendía el lenguaje de las farfanías. Duendecillos que la estaban viendo desde tan lejos, asomada a la ventana, y le mandaban destellos de fe y de aventura. «Miranfú —repetía Sara entre dientes, como si rezara—, Miranfú.» Y los ojos se le iban llenando de lágrimas.

Pocos días después se enteró de repente, por una conversación telefónica de su madre con la señora Taylor, de que Aurelio Roncali había traspasado su tienda de libros, se había ido a Italia y ya no vivía con la abuela. La señora Allen hablaba con voz doliente y confidencial. De pronto vio a su hija, que llevaba un rato largo parada en la puerta de la cocina, y se indignó:

—¿Qué haces ahí, enterándote de lo que no te importa? ¡Vete a tu cuarto! —chilló enfadadísima.

Pero Sara estaba pálida como el papel, tenía los ojos perdidos en el vacío y no se movía. Su madre vio que se agarraba al quicio de la puerta y que cerraba los ojos como si fuera a marearse. Y se asustó un poco.

—Te llamo dentro de un momento, Lynda —dijo—. No, no es nada, no te preocupes.

Y colgó.

Cuando llegó al lado de su hija y quiso abrazarla, ella la rechazó.

—¿Pero qué te pasa, por favor, Sara? Estás temblando.

La niña, efectivamente, temblaba como una hoja. La señora Allen le acercó un taburete para que se sentara. Entonces ella se tapó la cara con las manos y estalló en un llanto sin consuelo.

—Di algo, dime algo —suplicaba la señora Allen—. ¿Estás mala? ¿Qué te duele?

—Miranfú, miranfú —balbuceaba la niña entre hipos—, pobre miranfú...

Estuvo varios días con fiebre muy alta y en sus delirios llamaba a Aurelio Roncali, decía que quería entrar en el Reino de los Libros, que él era su amigo, que tenía que volver.

Pero Aurelio Roncali nunca volvió. Ni volvió tampoco a ser mencionado delante de ella. Sara comprendió que tenía que guardar silencio. Aquellas fiebres le habían otorgado el don del silencio. Se volvió obediente y resignada. Había entendido que los sueños sólo se pueden cultivar a oscuras y en secreto. Y esperaba. Llegaría un día —estaba segura— en que podría gritar triunfalmente: «¡Miranfú!». Mientras tanto, sobreviviría en su isla. Como Robinson. Y como la estatua de la Libertad.

Tenía Sara entonces cuatro años y ahora, al cabo de otros seis, le parecía que todo aquello lo había soñado.

Aurelio Roncali, el último novio de su abuela, había enterrado a Gloria Star. Y Sara los situaba a ambos en un mundo habitado por lobos que hablan, niños que no quieren crecer, liebres con chaleco y reloj y náufragos que aprenden soledad y paciencia en una isla. A ninguno de ellos lo había visto nunca en persona, pero las cosas que se ven en sueños son tan reales como las que se tocan.

Y aquel rey-librero de Morningside, del que apenas sabía nada, había existido. Y había sido el primero en inyectarle sus dos pasiones fundamentales: la de viajar y la de leer. Y las dos se fundían en otra, porque leyendo se podía viajar con la imaginación, o sea soñar que se viajaba.

TRES

Viajes rutinarios a Manhattan. La tarta de fresa

onocer Manhattan se había convertido para Sara en una obsesión.

Ya ni siquiera aguzaba el oído para enterarse de por qué sus padres se ponían a discutir en cuanto se metían en la cama. Se había acostumbrado a reconocer el tono excitado de su madre, como se reconocen las nubes oscuras que amenazan tormenta. Pero eran asuntos sin interés. Casi siempre salía a relucir el matrimonio Taylor, como punto de comparación. Al señor Allen, Lynda Taylor le parecía alegre, dulce y juvenil. La señora Allen replicaba que podía serlo, porque su marido le hacía regalos y no vivía más que para ella. La tenía en palmitas. Alababa, además, la capacidad de trabajo de Philip Taylor, que en las horas que le dejaba libre el taller, se dedicaba a reparar radios y televisiones, y a todo lo que le saliera. Y todavía sacaba tiempo para llevar a su mujer al cine. Acababan de comprarse un lavavajillas nuevo y un horno microondas. Philip sí que era un hombre. Y además nunca iba sucio; usaba desodorante.

—¿Y tú por qué lo sabes?

—Me lo ha dicho Lynda.

—¡Pues vaya de unas tonterías que habláis las mujeres! ¡Desodorante! ¿Es que yo huelo mal?

Sara encendía la luz, sacaba del cajón de la mesilla el plano de Nueva York que le regaló años atrás el señor Aurelio, y se ponía a mirarlo.

Entonces empezaba a soñar con los ojos abiertos y la discusión de sus padres se convertía en una música de fondo sobre la que se iban desarrollando las imágenes de su excursión fantástica por las calles, plazas y parques que no conocía. Unas veces volaba por encima de los rascacielos, otras iba a nado por el río Hudson, otras en patines o en helicóptero. Y al final de aquel recorrido sonámbulo, cuando ya empezaban a pesarle los párpados, Sara se veía a sí misma acurrucada en una especie de nido que alguien había fabricado para ella en lo más alto de la estatua de la Libertad, disimulado entre los pinchos de su corona verde. Se posaba allí como un pájaro cansado de volar. Y, mientras la iba invadiendo el sueño, le rezaba a la estatua porque, al fin y al cabo, era una diosa. Inventaba oraciones de su cosecha y las escribía en un teclado raro. Eran como telegramas mandados a la representante de la Libertad para pedirle que la librara del cautiverio de no ser libre. También le pedía que su abuela se volviera a vestir de verde, como cuando ella la conoció. Porque el verde es el color de la esperanza.

Al sur, en el lugar del plano donde confluían los dos ríos y estaba la islita con la estatua, la niña había pegado una estrella dorada, y otra plateada al norte, junto al parque de Morningside, por donde caía más o menos la casa de su abuela Rebeca, que ya no había vuelto a llamarse Gloria Star.

La estrellita plateada y la dorada se mandaban guiños de norte a sur en el enorme plano de Nueva York que Sara Allen extendía por las noches encima de su cama y que tenía gastadísimo de tanto desdoblarlo y volverlo a doblar para aprenderse bien los nombres de las calles de Manhattan y las líneas de metro y de autobús que las recorrían y comunicaban entre sí. Había llegado a conocerlas como las rayas marcadas en la palma de su mano y estaba segura de poder orientarse de maravilla por la isla de sus sueños, surcarla de un extremo a otro y meterse sin miedo en todos sus recodos, a pesar de que nunca había tenido ocasión de comprobarlo, porque solamente cruzaba el puente de Brooklyn una vez a la semana, y para eso, siempre con su madre, cumpliendo puntualmente a las mismas horas el mismo recorrido. Un recorrido que terminaba en el lugar que Sara tenía marcado en el plano con la estrella de plata: la casa donde vivía su abuela desde que ella la había conocido, un séptimo piso exterior con dos tramos de pasillo.

Pero estaba deseando que llegaran los sábados para acompañar a su madre en aquella visita obligada, y se le hacía cortísimo el tiempo que pasaban allí, en la casa del piano negro, el gato Cloud, los armarios desordenados y los ceniceros llenos de colillas. Le encantaba el piso de la abuela Rebeca, tal vez por ser la única casa de Manhattan donde había entrado, y las historias que contaba la abuela Rebeca cuando estaba de buen humor, tal vez por ser las únicas interesantes que había escuchado jamás de labios de un ser vivo.

Ella soñaba —¡miranfú!— con que algún día se iría a Manhattan a vivir con la abuela; volvería Sally, la asistenta negra, y tapizarían de espejo las paredes de la casa.

El viaje semanal a Morningside era como leña nueva para alimentar el fuego de ese sueño.

En cambio a la señora Allen, que estaba deseando pretextos para llorar y compadecerse del prójimo, le ponían muy triste aquellas visitas, y cuando volvían a Brooklyn en el metro, ya de noche, solía venir secándose las lágrimas con un pañuelo grande que sacaba del bolsillo de la chaqueta. Sara miraba alrededor muy nerviosa porque le parecía que iban a llamar la atención, pero luego se daba cuenta de que nadie se fijaba en ellas, porque la gente que viaja en el metro de Nueva York lleva siempre los ojos puestos en el vacío, como si fueran pájaros disecados.

—Se muere, el día menos pensado se nos muere —lloriqueaba la señora Allen.

—¿Pero por qué se va a morir, mamá, si no está mala? Yo la he visto muy alegre.

A Sara le parecía que el único rato bueno que le proporcionaban a su madre aquellos viajes a Manhattan era el que se pasaba la víspera metida en la cocina, preparando la tarta de fresa que siempre le llevaban a la abuela.

La hacía por la noche, después de recoger la mesa donde habían cenado, mientras el señor Allen leía el periódico o miraba un partido de béisbol por televisión.

—¡Mira qué bien huele, Samuel! —decía Vivian Allen todos los viernes con idéntico entusiasmo cuando sacaba la tarta del horno—. Me ha quedado mejor que nunca.

Luego la dejaba enfriar un poco, la envolvía cuidadosamente en papel de plata y la colocaba en el fondo de una cesta. Estaba sofocada y le brillaban los ojos.

—Y mañana estará mejor todavía —añadía satisfecha—. Las tartas para que queden más buenas hay que hacerlas de víspera. Le va a encantar. Se va a chupar los dedos.

—Pero si a tu madre no le gusta la tarta de fresa —decía el señor Allen, que estaba harto de escuchar todos los viernes lo mismo.

—Tú qué sabrás.

Pero Sara notaba que en cuanto su madre dejaba la tarta metida en la cesta y se ponía a sacarle brillo al horno, empezaba a borrarse de su rostro la animación que lo había iluminado hasta entonces, y se le ponían los ojos otra vez como con un vaho de niebla.

Al día siguiente ellas dos comían más temprano que de costumbre, disponiéndose al viaje. Lo dejaban todo bien fregado y recogido.

—Y ahora el sandwich de tu padre. Que no se nos olvide —decía la señora Allen.

El taller Quick Plumber, Fontanería de Urgencia, propiedad de Allen and Taylor, abría también los sábados. Y últimamente, según le había oído comentar Sara a su madre, el negocio iba viento en popa.

Cuando el señor Allen llegaba del trabajo a las seis, ellas no habían vuelto todavía, pero se encontraba con una nota de su mujer y un sandwich de pepino. La nota nunca la leía. La tiraba a la basura junto con el sandwich, se duchaba y bajaba a cenar al restaurante chino de la calle de enfrente.

Pero la señora Allen nunca se olvidaba de preparar el sandwich ni de escribir la nota. La escribía sobre el mostrador del *office*, sentada en un taburete alto con el asiento de plástico rojo y valiéndose de un bolígrafo gordo que había pegado a la pared con una cadenita, junto al teléfono amarillo. Tardaba un poco en escribirla y se quedaba a veces mirando al infinito, como si le costara grandes vacilaciones, aunque la verdad es que siempre le ponía exactamente lo mismo:

> Samuel, como es sábado, me voy con la niña a ver a mi madre para limpiarle aquello un poco y llevarle la tarta de fresa. Ahí te dejo el sandwich.

Al acabar lanzaba un profundo suspiro.

Después se sentaba en una banqueta del cuarto de baño, colocaba a Sara entre sus rodillas y empezaba a peinarla muy nerviosa y dándole muchos tirones en el pelo, porque decía que se les hacía tarde.

—Parece que no, pero es un viaje. Un viaje de muchas millas. ¿A quién se le ocurre? ¡Si por lo menos siguiera viviendo en la avenida C!

Sara aprovechaba para preguntarle a su madre si era más bonita la casa de la avenida C que la de Morningside. Ella se encogía de hombros, decía que no se acordaba bien.

—¿Cómo no te vas a acordar, si viviste allí de soltera?

—Bueno, pues no sé. Tenía un *living* grande. Y desde mi cuarto se veía el East River. O sea que, fíjate, desde aquí hubieran sido veintitantas estaciones menos de metro.

—¿Y por qué se fue de aquella casa? ¿Le gustaba más Morningside? ¡Ay, mamá, no me des tantos tirones!

—La culpa la tienes tú que no te estás quieta. Me pones nerviosa.

—Pero contéstame.

—Pues se fue porque le dio por ahí. Ya sabes que la abuela es caprichosa y tiene que salirse siempre con la suya. Igual que tú.

Pero de Aurelio Roncali no decía una palabra. La señora Taylor le había aconsejado (siempre guiándose por los consultorios sentimentales de la tele y por sus lecturas sobre complejos) que a los niños es mejor no hablarles de los asuntos que les producen trauma. Y, a pesar del tiempo que había pasado, Vivian Allen no se podía olvidar de la enfermedad tan rara que le había costado a Sara la separación de su abuela y el librero. Pero la niña notaba que aquel tupido manto de silencio que había caído sobre el nombre del señor Aurelio era más sofocante para su madre que para ella misma.

Porque las cosas y las personas que sólo se han visto con los ojos de la imaginación pueden seguir viviendo y siendo iguales, aunque desaparezcan en la realidad. Cuando se han visto y luego se dejan de ver, el cambio es mayor.

—Ya te digo, hija —seguía la señora Allen hablando muy deprisa—. Lo que me parece una locura es que la abuela viva a tantas millas de distancia. No hay manera de meterle en la cabeza que donde estaría mejor es aquí, con nosotros.

Sara se quedaba pensativa. Aquella solución le parecía completamente absurda, y estaba segura de que la abuela nunca la habría aceptado.

—También podríamos ir nosotros a vivir allí con ella. Hay más sitio. ¿No sería mejor?

—¡Qué tonterías se te ocurren! ¿Y tu padre? ¿No ves que tu padre tiene aquí su trabajo?

—Podría trabajar allí. Allí también se romperán cañerías.

La señora Allen terminaba de peinar a Sara y cambiaba de conversación. Sara pensaba que ella no tenía ningún trabajo en Brooklyn que le impidiera irse a vivir a Manhattan con la abuela. Nunca se atrevía a decirlo, pero ésa sí que le parecía la solución ideal. Se imaginaba limpiando de trastos un cuarto muy grande que había a la derecha del pasillo, según se entraba, y decorándolo con posters de actrices de cine, de pistoleros, de trenes y de niños patinando. Y a sus padres los llamaría por teléfono y vendría a verlos los viernes. Pero estaba segura de que no podía decirlo, ni siquiera con rodeos. Y se quedaba callada y triste.

—¡Vamos, espabila! —le decía su madre—. ¿En qué estás pensando? ¿No ves que se hace tarde? Parece que no, pero es un viaje, un viaje de muchas millas.

Le ponía un impermeable rojo de hule, lloviera o no, y le daba la cesta tapada con una servilleta de cuadros blancos y rojos. Debajo de aquella servilleta iba la tarta.

—Anda, hija, llévasela tú. A la abuela le hace más ilusión que se la lleves tú.

—A la abuela le da igual. No se fija.

—No me repliques. Creo que no nos olvidamos nada.

Y la señora Allen, después de comprobar que dejaba cerrada la llave del gas, que la nota para su marido quedaba encima de la nevera en lugar bien visible y que ninguno de los grifos goteaba, se ponía a repasar cosas dentro de su bolso, mientras las iba nombrando entre dientes.

—A ver. Las llaves, las gafas, el monedero... El dinero suelto para el metro lo voy a llevar en la mano. Espera, sujétame un momento el paraguas.

Cerraba con tres llaves que metía en cerraduras colocadas a alturas diferentes, y luego llamaba al ascensor. Desde aquel momento cogía a la niña fuertemente de la mano y ya no la soltaba hasta que llegaban a casa de la abuela.

Sara se miraba en el espejo del ascensor y luego de reojo en todos los escaparates que se iban encontrando hasta llegar a la boca del metro. No le gustaba que su madre la llevara tan agarrada, pero era inútil soñar con soltarse. Miraba al cielo que se veía encima de los edificios.

—¿Por qué me has puesto el impermeable, si hoy no va a llover? —preguntaba enfurruñada.

—Nunca se sabe —contestaba la señora Allen—. Yo también llevo el paraguas, ¿ves?, hay que ser precavidos. No olvides que se trata de un viaje, aunque parezca que no. No volvemos hasta la noche y el hombre del tiempo ha dicho que la nubosidad es variable. Ha dicho también que se anuncia un huracán por las costas de Florida, que en Minnesota hay cinco carreteras vecinales interceptadas, que el anticiclón se incrementa en el centro de Europa y tercio oeste del Mediterráneo y que...

Sara dejaba de escuchar y se ponía a mirar a la gente, a un negro que vendía plátanos en un carrito, a un chico que iba en moto con los auriculares puestos, a una rubia de tacones altos, a un viejo que tocaba la flauta sentado en unas escaleras; miraba los letreros, esperaba, siempre agarrada de la mano de su madre, a que se encendiera la luz verde para pasar a la otra acera, llegaban a la boca del metro. Entraban arremolinadas con los demás, pasaban aquellos barrotes giratorios en forma de cruz que sólo cedían metiendo por una ranura las dos fichas doradas que la señora Allen acababa de comprar después de hacer un rato de cola delante de la ventanilla. Detrás de la ventanilla, resguardado por cristales gordos se veía a un hombre de color chocolate que despachaba las fichas doradas como un muñeco mecánico y las despedía por un cauce ovalado de metal. A veces, cuando necesitaba contestar a algo que le preguntaba el cliente, hablaba acercándose a los labios una especie de flexo con magnetófono en la punta que parecía un hongo escuálido como los que venían dibujados en los cuentos de enanos y de brujas. La señora Allen soltaba unos instantes a Sara de la mano para recoger las fichas y el cambio.

—Sujétame el paraguas —le decía.

Eran unos segundos muy intensos y excitantes para Sara. Siempre llevaba en el bolsillo un par de fichas doradas de aquéllas. Se las había cogido a su padre una vez que estaba durmiendo y se le cayeron de la chaqueta mal doblada sobre el respaldo de una silla. Miraba la ranura por donde había que meterlas, se apartaba unos pasos de su madre y se dejaba invadir por la tentación de echar a correr con su impermeable rojo, su paraguas y su cesta, traspasar aquel umbral y perderse sola entre la gente rumbo a Manhattan. Pero nunca lo hizo ni lo intentó siquiera.

Entraban al andén. La señora Allen miraba recelosa y le apretaba la mano más fuerte todavía. De los viajeros que esperaban en el andén, unos despertaban sus sospechas más que otros y de eso dependía el vagón que escogiera para montarse cuando llegaba al fin el metro a tanta velocidad que parecía que no iba a pararse. Sara pensaba muchas cosas en cuanto entraban en el vagón y se ponía a mirar a toda aquella gente, de la que su madre trataba de distraerla, mientras le desabrochaba los botones de arriba del impermeable para que luego no tuviera frío al salir. De frío de calor y de tormentas lo sabía todo y es de lo que hablaba siempre por las mañanas con los viejos aquellos que, según decía suspirando, la querían más que su propia madre. Se oía todos los partes meteorológicos de la televisión y los comentaba con ellos. En cambio le aburrían mucho las películas de amor y de aventuras. También esto lo comentaba con los ancianitos de su hospital, que solían darle la razón, unos porque pensaban lo mismo que ella y otros para que se callara.

—¿Quién puede creerse eso? —les decía, mientras les daba un caldo de pollo o los arropaba con mantas de cuadros—. ¿Dónde se ha visto que un hombre salte de un tejado a otro o que una mujer tenga cara de serpiente?

—En Manhattan se ven esas cosas y otras peores, señora Allen —le contestaba alguno sentenciosamente.

Y por si acaso era verdad, a la señora Allen no le gustaba que Sara viera aquellas historias en la televisión ni que volviera la cabeza para mirar a nadie cuando iban en el metro a visitar a la abuela.

—¿Por qué miras a ese señor?

—Porque va hablando solo.

—Déjalo. ¿No ves que no le mira nadie?

—Claro, pobrecillo, por eso le miro yo.

—Y a ti qué te importa. Son asuntos suyos.

Había mucha gente que iba hablando sola en el metro de Nueva York. Unos entre dientes, otros más alto y algunos incluso echando discursos como si fueran curas. Estos últimos solían llevar las ropas en desorden y el pelo alborotado, pero, aunque decían de vez en cuando, con un tono altisonante, «hermanos» o «ciudadanos», sus palabras se estrellaban contra una muralla de silencio y de indiferencia. Nadie los miraba.

—Avanza un poco hacia aquel rincón, Sara, que allí va a quedar un asiento, ¿me permite? —decía la señora Allen, metiendo la cadera, en cuanto notaba que la atención de su hija se quedaba prendida en uno de aquellos extravagantes charlatanes.

A Sara le daba rabia que su madre le hablara en el metro, porque no la dejaba pensar. Era un sitio donde a ella le gustaba mucho pensar, precisamente por la cercanía de todas aquellas personas tan distintas y desconocidas entre sí, aunque fueran haciendo juntas el mismo viaje en el mismo momento. Le gustaba imaginar sus vidas, comparar sus gestos, sus caras y sus ropas. Y lo que más le divertía era comprobar que las diferencias eran mucho mayores que los parecidos. ¿Cómo sería posible que en una distancia tan corta como la que va del pelo a los pies pudieran darse tantas variaciones como para que no fuera posible confundir a uno de aquellos viajeros con otro? Pero no le daba tiempo a verlos bien porque la señora Allen se los tapaba a propósito, como si tuviera miedo de que sólo con mirarlos le fueran a contagiar alguna enfermedad mala.

—Déjame mamá, no me desabroches más botones. Si no tengo calor.

—Claro, no, tú siempre te crees que lo sabes todo. ¿Te puedes estar quieta?

—Del calor que tengo, sé más que tú.

—Sí, pero luego al salir, con la diferencia de temperatura, te coges un constipado, ¿y qué?

—Pero si yo nunca me cojo constipados...

—¡Ay, Dios mío, qué niña más respondona! ¿Por qué pones cara de mártir ahora?

—Por nada, mamá, cállate, anda.

—¿Llevas la cesta bien agarrada?

—Que sí, mamá. Cállate ahora, por favor —suplicaba la niña en un susurro fervoroso.

—¿Pero qué te pasa? ¿Por qué cierras los ojos? ¿Te mareas?

—Déjame. ¡Es que vamos por debajo del río!

—¿Y qué? ¡Vaya una novedad! Pareces tonta, hija, cualquiera que te oyera...

Había un tramo al principio del viaje en que el metro iba, efectivamente, por dentro del East River. Y coincidía precisamente con el rato en que los comentarios de la señora Allen eran como una lluvia que no escampa. Sara cerraba los ojos no porque se mareara ni porque tuviera miedo, sino porque no podía soportar que unos asuntos tan insulsos vinieran a ocupar la mente de su madre y a interrumpir los pensamientos de ella cuando se estaba produciendo el milagro de viajar por dentro de un túnel sobre el que pesaban toneladas de agua. Su trayecto era de unas dos millas y se llamaba el Brooklyn-Battery Tunnel porque, después de pasar el río, se metía por debajo de Battery Park, el parque que queda más al sur de Manhattan, donde confluyen el Hudson y el East River. Lo había estudiado, lo sabía, conocía la fecha en que empezaron las obras del Brooklyn-Battery Tunnel, en 1905, pero eso no tenía nada que ver con la emoción de pensarlo cuando se tenía toda aquella masa de agua encima. Pasar a Manhattan por debajo de un río era la prueba más patente de que en aquella isla podía ocurrir de todo. A Sara le daba vueltas la cabeza como si fuera un molino y se le ocurrían cientos de preguntas que le quería hacer a la abuela Rebeca en cuanto llegaran a su casa.

CUATRO

Evocación de Gloria Star. El primer dinero de Sara Allen

erca de casa de la abuela Rebeca, había un parque misterioso y sombrío, que se iniciaba en un declive a espaldas de la catedral de San Juan el Divino. Se llamaba Morningside, como el barrio, y había que bajar a él por unas escaleras de piedra, porque estaba en una hondonada. Tenía fama de ser muy peligroso.

Años atrás, un desconocido, a quien la imaginación popular había bautizado con el nombre de «el vampiro del Bronx», eligió aquel lugar como campo de operaciones para sus crímenes nocturnos, que recaían siempre en víctimas femeninas. Fueron cinco los cadáveres de mujeres descubiertos en Morningside a lo largo de pocos meses, la voz se corrió y, como consecuencia, ya hacía tiempo que nadie se atrevía de día ni de noche a cruzar el parque de Morningside, ni tan siquiera a acercarse a los escalones de piedra musgosa, rematados por sólidas barandillas, que daban acceso a él.

A Sara le gustaba mucho mirar el parque abandonado desde la ventana del cuarto de estar, el mayor de la casa, donde la abuela tenía el piano. Le atraía su aspecto romántico y solitario.

Junto a aquella ventana tenía instalada la abuela su butaca preferida, aunque estaba un poco vieja y se salían los muelles por abajo. Sara, mientras su madre bajaba a hacer alguna compra o barría en la cocina cucarachas muertas, se sentaba en una sillita baja enfrente de la abuela, para hacerle compañía y escuchar sus cuentos, cuando estaba en vena de contarlos. Porque algunas veces estaba amodorrada o triste, se le caían los párpados y no tenía ganas de hablar. Pero más tarde o más temprano, Sara conseguía espabilarla y encender, con sus preguntas, el brillo apagado de su mirada.

Solían hablar muy bajito, casi cuchicheando, y esa complicidad con la abuela era lo que a la niña le parecía más emocionante, porque le encantaban los secretos.

—Abuela, ¿es bonito por dentro Morningside?

—¡Bah, ni fu ni fa! Mucho más bonito Central Park, dónde va a parar. A mí me encantaría tener dinero y vivir por la parte sur de Central Park. Menudos edificios hay allí... Este parque, si quieres que te diga la verdad, lo único que tiene es el misterio que ha cogido con lo del vampiro del Bronx. Pero nada más. Está en un grado de descuido que da pena.

—¿Cómo lo sabes?

—¡Anda!, porque bajo muchas veces a pasear por ahí.

—¿Te metes dentro?

—Claro que me meto. Me gustaría más ir por Central Park en coche de caballos. Pero a falta de pan, buenas son tortas. Por lo menos se toma el aire a gusto, y sin que te moleste nadie.

—¿No te da miedo?

—¡Qué me va a dar miedo! Es uno de los sitios más seguros de todo Manhattan. ¿No ves que está desierto? Ni los atracadores ni los vampiros son tontos, ya lo sabrás por las películas. ¿Para qué van a perder el tiempo escondiéndose al acecho de su presa en un sitio por donde saben de sobra que ya nunca pasa nadie?

—¿Pero al vampiro del Bronx lo han cogido?

—No. Por lo menos en los periódicos que yo compro no lo trae. Creo que anda suelto todavía. Debe ser más listo que el hambre, hija. Y yo me lo figuro, no sé por qué, como un buen mozo. ¿Tú no?

—Yo no sé —decía Sara un poco asustada—. Yo no me lo figuro de ninguna manera.

A la señora Allen, cuando notaba que su madre y su hija estaban hablando del vampiro del Bronx, se la llevaban los demonios.

—Madre, no le cuente usted a Sara historias de miedo, que luego no se duerme —decía.

—¿Y para qué se va a dormir? ¿Habráse visto mayor pérdida de tiempo...? A ver, ¿qué periódicos son esos que sacas con la basura?

—Pues eso, usted lo ha dicho, madre. Son basura. Periódicos atrasados. De crímenes y tonterías así.

—Un crimen no es ninguna tontería, hija. Déjamelos

ver antes de tirarlos, no vaya a ser que venga algo que me interese recortar. ¡Qué manía tienes con tirarlo todo! Cada vez que vienes por aquí, es como si pasara la langosta.

—Y usted qué manía con no tirar nada, con no arreglar nada. Esa butaca no puede seguir así. De la semana que viene no pasa que avise a un tapicero.

—Ni hablar, a mí me gusta así, un poco desfondada. Tiene las huellas de mi cuerpo. Que ahora ya es lo único que me acompaña.

—Porque usted quiere. Porque se empeña en no venirse con nosotros a Brooklyn.

A la abuela le fastidiaba aquella conversación.

—No seas pesada, Vivian, vamos a dejar eso. ¡Y no me llames de usted! ¡Mira que te lo tengo dicho veces!

—Ya lo he intentado, pero no me acostumbro. Me sale el usted. Papá, que en paz descanse, decía que tratar a los padres de tú era una falta de respeto.

—¡Pero si tú a mí no me tienes ningún respeto, aunque me trates de usted! Ni quiero que me lo tengas, por supuesto. Además hija, tu padre era un antiguo.

Un sábado de principios de diciembre por la tarde, cuando Sara y su madre llegaron, como de costumbre, a casa de la abuela, nadie contestó al timbre.

—Está perdiendo oído por momentos —dijo la señora Allen, soltando un suspiro.

—A lo mejor es que ha salido a dar una vuelta —dijo Sara—. Además hoy hemos llegado antes.

—¿Adónde va a ir con el frío que hace? Sujétame el paraguas, anda, que voy a buscar mi juego de llaves.

Entraron en la casa y sólo encontraron al gato Cloud dormitando encima de la butaca de la abuela.

La señora Allen se preocupó mucho. Últimamente a su madre le había dado por beber más de la cuenta. Pero eso no se lo dijo a Sara. Pensó que le sería fácil encontrarla por alguno de los bares de la zona, donde la conocían. Al fin y al cabo, tenía que bajar a unos recados. Ni siquiera se quitó el abrigo.

—Mira —le dijo a Sara—, tú te quedas aquí. Y si llega la abuela antes que yo, le preparas el té y le partes un buen trozo de tarta. No te dará miedo quedarte un rato sola.

—A mí ninguno —dijo la niña.

—Entonces, hasta ahora. Espero no entretenerme mucho. Y si llaman al teléfono, lo coges.

—Pues claro, mamá, qué tontería. No lo voy a dejar sonando.

—No me contestes así. Si tu abuelo Isaac levantara la cabeza. En fin... Puedes ir barriendo un poco la cocina.

—De acuerdo.

Pero, cuando desapareció su madre, Sara no se puso a barrer la cocina, sino a dar saltos por la habitación diciendo «¡Miranfú!» a todo pasto, porque era la primera vez que se quedaba sola en la casa de Morningside y le hacía una ilusión enorme. Era maravilloso —¡miranfú!—, imaginarse que la casa era suya y que ella se llamaba Gloria Star.

Había un disco puesto en el *pick-up*. Le dio a la tecla de la marcha y luego a la de subir el volumen. El disco empezó a girar.

Era la canción italiana que estaba oyendo la abuela delante del tocador de tres espejos, la tarde en que ella la había visto vestida de verde. Nunca había vuelto a oír esa canción, pero la reconoció en seguida y se quedó extasiada, como si hubiera sido víctima de un encantamiento:

Parlami d'amore,
Mariú,
tutta la mia vita
sei tu...

Cloud abrió los ojos. Luego arqueó el lomo, se bajó de la butaca y se puso a ronronear en torno a Sara.

—No, tú no estabas, Cloud. No estabas aquí aquella tarde. Déjame. No puedes hacerme compañía en mis recuerdos. Yo soy Gloria Star, la famosa cantante Gloria Star, ¿sabes?

El gato la miraba fijamente con sus ojos color esmeralda. Maullaba tenuemente y trataba en vano de alcanzar el borde de su vestido.

—No, es inútil, no puedes hacer memoria porque tú no me has conocido. Ni tampoco conoces a Aurelio. Déjame, te digo, vil gato, que me arañas las medias de seda.

¿No comprendes que estoy esperando a Aurelio? Va a llegar del Reino de los Libros para llevarme a bailar y me tengo que arreglar y ponerme guapa. Porque a él le gusta que me ponga guapa.

Salió al pasillo y abrió la puerta del dormitorio de la abuela. Estaba a oscuras. Se detuvo en el umbral, buscando a tientas el interruptor de la luz, y por unos instantes tuvo miedo. ¿Y si se encontraba a la abuela encima de la cama, estrangulada por el vampiro del Bronx? Lo primero que tendría que hacer es no tocar nada y llamar a la policía, como había visto que se hacía en las películas.

El gato Cloud, que la había seguido, se frotó contra una de sus piernas desnudas, y ella dio un grito. Encendió la luz y el gato salió bufando.

—¡Ay, qué susto me has dado, Cloud! —exclamó Sara—. ¿Me quieres dejar en paz? Por lo menos, podías decir algo. Aunque sólo fuera: «¿Cómo encuentras a la Reina?», como le dijo a Alicia el Gato de Cheshire. Pero, claro, tú qué sabrás de Alicia. Te pareces a Rod Taylor, pero en gato. Un gato tonto y mudo. Estoy gastando saliva en balde.

Mientras hablaba, miraba alrededor. Aunque sus temores se habían desvanecido al dar la luz, la verdad es que el dormitorio estaba hecho una catástrofe. Presentaba un aspecto que dificultaba seguir jugando a ser Gloria Star en sus tiempos de esplendor declinante. Olía a colillas, a cerrado, a sudor, y a perfume barato. Por el suelo y colgando del respaldo de los asientos, se veía un revoltijo de ropas de toda índole, y encima de la gran cama deshecha, había un montón de cartas, fotografías y recortes de prensa esparcidos sin orden ni concierto.

Sara trató de dar la luz al aplique de tres brazos con tulipas de cristal que había encima del tocador de tres espejos, pero se dio cuenta de que las bombillas estaban fundidas. Sobre el mármol negro veteado de rosa, junto a dos tarros de cosmético destapados y varias barras de labios consumidas, había vasos sucios, horquillas, carretes de hilo, cucharrillas, ceniceros y un ejército de tubos de medicinas, unos mediados y otros vacíos.

El gato se subió a la cama de un salto y se aposentó encima de los papeles que estaban dispersos por entre las sábanas revueltas y arrugadas.

—¡Fuera de ahí, Cloud! ¡Habráse visto mayor falta de respeto! —dijo Sara con una voz fingida, mientras se acercaba con paso lánguido hacia la cama—. ¡Por Dios, mis cartas de amor! ¡Mis pétalos de flores! ¡Mis fotos más queridas! ¡Soy Gloria Star! ¿Te enteras? ¡Uf, qué peste de gato!

Empujó a Cloud, que volvió a saltar al suelo, y se puso a recoger con cuidado todos aquellos papeles, separando las cartas de los recortes de periódico y agrupando las fotografías por tamaños en montones distintos. Una de las más grandes representaba a un hombre un poco mayor pero bastante guapo, con bigote poblado y pelo negro con algunas canas, peinado a raya. Se apoyaba contra una estantería llena de libros, tenía un pitillo encendido entre los dedos y sonreía a la cámara. Sara miró mucho rato aquella fotografía y luego le dio la vuelta. Por detrás llevaba una dedicatoria con letra grande y clara, que decía: «Tú eres mi gloria, A.». Era la misma caligrafía de algunas cartas de las que acababa de recoger.

El disco se había terminado. Sara se dirigió al cuarto de estar con todos aquellos papeles. No sabía bien por qué, pero no le gustaba que los viera su madre cuando llegara y se pusiera a hacer limpieza. Capaz de tirarlos a la basura como los periódicos. Y además, que no. Eran secretos de la abuela. Sara no estaba jugando a ser Gloria Star. Se sentía Gloria Star en persona. Pero por otra parte, era cómplice de su abuela, y no quería que nadie fisgara en sus cartas secretas. Ni ella misma lo pensaba hacer.

Se dirigió hacia el mueblecito de tapa ondulada, que solía estar siempre cerrado. Pero ella sabía dónde guardaba la llave la abuela: dentro de un florero de china que representaba una cesta, a cuyo pie dos pajaritos se disputaban a picotazos la posesión de un gusano, tirando cada uno por un lado.

Se subió a un taburete para alcanzar la estantería donde estaba siempre, lo agitó y comprendió por el ruido que tenía la llave dentro. Pero en ese momento llamaron al teléfono y se llevó tal susto que el florero de los pajaritos se le escurrió de las manos y ella dio con sus huesos en el suelo. El corazón le latía a toda prisa cuando llegó a coger el teléfono.

Era la abuela. Se le notaba una voz muy alegre. Había bajado a dar un paseo por Morningside y luego se había metido un ratito en un bingo de barrio. Había ganado ciento cincuenta dólares. Por cierto, ¿habían leído la nota que les dejó? La había puesto encima del piano. Sara le dijo que no, y que su madre se había ido a la calle un poco preocupada.

—¡Dichosa Vivian! —dijo la abuela—. Si no se preocupa por algo, no vive. En seguida subo, estoy en el bar de abajo tomándome una copita de licor. Bueno, a tu madre no se te ocurra decirle lo del bingo... Ya, ya sé que tú sabes guardar bien los secretos... Hasta ahora. A ver si podemos tener tú y yo un poco de charla, hija... Por cierto, quería pedirte un favor, ahora que me acuerdo...

—Dime, abuela.

—Ya que estás tú sola ahí..., he dejado el dormitorio muy revuelto. ¿Me quieres recoger unos papeles que tengo por encima de la cama y metérmelos en el secreter? La llave ya sabes dónde la guardo.

—Sí, abuela —contestó Sara con una sonrisa muy tierna—. En el florero de los pajaritos.

Cuando colgó el teléfono, estaba muy excitada. Lo primero que hizo fue volver a poner el disco. Aquella canción le encantaba, aunque no entendía la letra. Pero decía Mariú, que debía ser una especie de «miranfú» en italiano. Luego fue a recoger el florero, temiéndose lo peor. Afortunadamente —¡miranfú!—, había caído encima de la butaca y no se había roto. La llavecita, en cambio, tardó en encontrarla. Se había escurrido por una ranura entre el almohadón y el brazo de la butaca.

Por fin la metió en la cerradura y levantó la tapa ondulada del mueble, que se llamaba secreter porque era un mueble de secretos. Salía un olor desvaído a papel antiguo, a flores secas. Miró otra vez el retrato de Aurelio Roncali y le dio un beso.

—Gracias —dijo bajito.

Y se le saltaron las lágrimas. Pero no como el día en que se enteró de que se había ido. En los seis años que habían pasado desde aquel día, había entendido que se puede llorar de tres maneras distintas: de rabia, de pena y de emoción. Éste era un llanto de emoción. Bueno, entre de emoción y de alegría. Una cosa un poco rara. Miranfú.

Luego, antes de bajar nuevamente la tapa del mueble, tuvo curiosidad por tirar de un cajoncito que había a la derecha y estaba entreabierto. Vio un sobre lacrado. Reconoció la letra de su madre:

VERDADERA RECETA DE LA TARTA DE FRESA,
TAL COMO ME LA ENSEÑÓ EN LA INFANCIA
REBECA LITTLE, MI MADRE.

No pudo por menos de echarse a reír. Ahora resultaba que, después de tantas historias con la tarta de fresa, la abuela también la sabía hacer.

La abuela volvió de muy buen humor. En cuanto oyó la llave en la cerradura, Sara salió corriendo a recibirla, seguida por el gato. No tenía la menor idea de si había pasado poco tiempo o mucho desde que se fue su madre. Pero sus dudas se disiparon pronto.

Acababa la abuela de tirar por el aire el dinero que venía de ganar en el bingo, y estaba su nieta recogiéndolo del suelo, las dos muertas de risa, cuando sonó el teléfono y la abuela fue a atenderlo.

—Diga...Ah, hola, Vivian... Sí, claro, ya estoy aquí, ¿o es que no me oyes...? Pues no, siento darte ese disgusto, pero no me ha raptado el vampiro del Bronx. Creo que prefiere la carne más joven.

Sara había acabado de recoger los billetes y se había sentado en la butaca de la abuela. Miraba pensativa y sonriente el parque abandonado de Morningside, sobre el cual se alargaban unas nubes color violeta que iban perdiendo poco a poco su resplandor. Cloud se subió a su regazo ronroneando y ella lo empezó a acariciar. Se encontraba tan a gusto como pocas veces en su vida.

—Os había dejado una nota encima del piano —estaba diciendo la abuela—. Además llevo aquí ya diez minutos.

Sara la miró. Y ella le devolvió la mirada y le guiñó un ojo sonriendo. A Sara le hacía mucha gracia que la abuela se defendiera de los sermones de su propia hija con aquellas mentiras de niña chica. Y le mandó un beso en la punta de los dedos. Pero ahora, además, lo que estaba diciendo le servía de pista sobre el tiempo transcurrido.

—Que sí, Vivian... ¿Cómo que no puede ser?... ¿Qué dices? ¿Que hace diez minutos estabas tú aquí todavía?...

Hija, pareces un detective, será algún minuto menos, qué más da. O nos habremos cruzado en los ascensores... ¡Ay, no seas pelma, Vivian, que de todo haces un folletín!... Sí, la niña está bien... Y el gato. Y las cucarachas, vivitas y coleando. Todos estamos bien... Ahora, sí, ahora nos vamos a tomar la tarta... De acuerdo, hasta luego, tarda lo que te dé la gana.

Sara se había inclinado sobre el gato y le decía a la oreja:

—¿Has oído a la abuela, Cloud? Diez minutos han pasado nada más. Parece imposible lo que cabe en sólo diez minutos. Si no fueras tan ignorante, si fueras el gato de Cheshire, podríamos hablar de cómo se estira el tiempo algunas veces. ¿Ronroneas, eh? Bueno, eres tonto, pero cariñoso. Y además tienes el pelo muy suavecito, ésa es la verdad.

—¿Con quién hablas? ¿Con Cloud? —preguntó la abuela con voz juvenil y divertida, en cuanto hubo colgado el teléfono—. Creí que no te gustaban los gatos.

—Los mudos no mucho —contestó la niña—. Pero Cloud esta tarde yo creo que me entiende.

—Venga, hija, vamos a merendar. La pesada de tu madre dice que el supermercado está muy lleno y que va a tardar como media hora. ¡Qué respiro!

Aquella media hora, en cambio, se le hizo increíblemente corta a Sara. La abuela, muy animosa, se ofreció a preparar ella la merienda y empezó a recoger cacharros sucios de la cocina, a hervir agua para el té, y a poner la mesa canturreando. También le abrió una lata de comida a Cloud y se la puso debajo del fregadero en un plato de aluminio.

—¿Quieres que te ayude, abuela?

—No, nada de ayudas, tú siéntate. Voy a sacar un mantel bonito. Un día es un día.

A Sara se le contagiaba la alegría de su abuela. Y sobre todo estaba asombrada de su eficacia y de su actividad. El mantel era de flores bordadas. La abuela puso un hule debajo.

—Yo creí que tú no sabías hacer las tareas de la casa —dijo la niña.

—¡Anda, que no! Si eso es lo más fácil que hay. Lo que pasa es que es aburrido, cuando no hay un motivo para hacerlo. Ya verás qué buena nos sabe hoy la tarta.

Sara le preguntó que si ella también sabía hacer la tarta.

—Sí, pero se me ha olvidado. A mí ya me aburre la cocina. Pero la receta la tengo guardada no sé dónde. Tu madre me la trajo, como si fuera un testamento. Dice que tiene miedo de que se la roben las vecinas. ¡Dichosa tarta de fresa! A mí ya me harta, puede que esta tarde sea la primera vez que la pruebo desde hace mucho. Casi todas las semanas se la doy a un pobre. Hoy es distinto.

—¿Qué celebramos hoy, abuela?

—No sé, cualquier cosa. Tu cumpleaños. ¿No es tu cumpleaños dentro de unos días?

—Sí. El viernes que viene. Creí que no te acordabas. Pero me gusta mucho que te acuerdes. Cumplo diez.

La abuela fue al cuarto de estar y trajo los billetes que había ganado al bingo. Los repartió en dos montones iguales.

—Toma —dijo—. La mitad para ti y la mitad para mí. Es mi regalo de cumpleaños.

—Pero es muchísimo. Yo nunca he tenido tanto dinero, abuela.

—Pues lo guardas sin decírselo a nadie. En algún momento te puede hacer falta. Pero eso sí, procura gastártelo cuanto antes. Mira, no vaya a ser que llegue tu madre. Vete a mi dormitorio. Abres el armario, y en uno de los cajones de la derecha, el de más arriba, hay varias bolsitas de cuando yo salía por la noche. Elige la que más te guste, para meter tu primer dinero. Así queda el regalo más completo.

Aquella tarde le gustó a Sara más que nunca la tarta de fresa. Le parecía que la estaba probando por primera vez.

—Es que no hay nada como una buena conversación y no tener prisa para que sepan ricas las cosas —dijo la abuela.

Luego se fueron al cuarto de estar a esperar a la señora Allen. Sara apretaba contra su pecho, por debajo de la camiseta, una bolsita de raso azul bordada de lentejuelas donde había metido los setenta y cinco dólares.

—Dinero llama a dinero —dijo la abuela—. A ver si me aparece un novio rico. Búscamelo tú. ¿Te parezco muy vieja? ¿O crees que todavía puedo sacar algún novio?

La niña, que, al ir a buscar la bolsita, había visto colgado en el armario el vestido verde, le contestó:

—No me pareces vieja. Eres muy guapa. Sobre todo, si te vistes de verde.

A la abuela se le notaba que se había puesto triste de pronto. Sara comprendió que era mejor no hablarle de Aurelio. Ojalá pudiera ella encontrarle un amigo nuevo a la abuela. ¿Pero cómo iba a poder, si nunca salía sola?

Acabaron hablando de la soledad y de la Libertad. La abuela le estuvo contando a Sara que la estatua de la Libertad la habían traído a Nueva York desde Francia hacía cien años. Y que el escultor que la hizo, un artista alsaciano, había sacado la mascarilla para la diosa sobre la cara de su madre, una mujer muy guapa. Le dio un librito donde venía todo muy bien explicado para que lo leyera en casa, porque ya se oían los pasos de la señora Allen.

—Hija, no nos ha dado tiempo a nada —dijo la abuela.

Fue media hora que se pasó en un vuelo.

Como el tiempo de los sueños.

Miranfú.

CINCO

Fiesta de cumpleaños en el chino.
La muerte del tío Josef

l día de su cumpleaños, que era viernes, Sara estrenó un conjunto de falda plisada y jersey en punto rojo que le había regalado su madre. El señor Allen había decidido que fueran a comer a un restaurante chino para celebrarlo. Los Taylor estaban invitados.

—¿Sabes? Viene también Rod —dijo la señora Allen, sonriendo a Sara con picardía cuando estaban llegando a la fontanería para recoger a su padre—. La fiesta es para ti, así que hacía falta un chico. ¿No te parece?

Sara no contestó. Rod estaba ahora menos gordo, pero igual de zoquete. Y encima dándoselas de conquistador con las niñas del barrio. Sara decidió que no le pensaba hacer ni caso.

—No te lo había querido decir para darte una sorpresa —añadió la señora Allen—. Y luego, al final, hay otra. Verás qué bien lo pasamos.

Pero no lo pasaron bien, por lo menos Sara. El restaurante era bastante oscuro y tenía pintados por las paredes en rojo, negro y dorado unos pájaros de patas muy largas y unos estanques con flores flotando que no se sabía por qué daban un poco de pena. En las mesa, con manteles de papel, había unas lamparitas rojas. Y por todo el local flotaba ese olor agridulce típico de la comida china. Sara ya conocía además aquel sitio, porque el dueño, el señor Li-Fu-Chin, era amigo de su padre, y algunas noches cuando éste tardaba en volver a casa, iba ella de la mano de su madre a buscarlo allí. Y con frecuencia volvían discutiendo.

Juntaron dos mesas, pusieron un centro de flores de papel y a Sara la sentaron al lado de Rod, que de tan concentrado como estaba comiendo a dos carrillos, no tenía tiempo para hablar ni ganas de hacerlo. Se limitaba a decir que sí con la cabeza y a emitir una especie de gruñido de satisfacción con la boca llena, cada vez que su madre le preguntaba si le gustaba aquello o quería probar de lo de más allá. Habían llenado la mesa de tantas fuentes con guisos distintos, que casi era imposible hacer un gesto con el brazo sin tirar un vaso o pringarse de grasa la bocamanga. Todo sabía bastante parecido, y la conversación de las personas mayores versaba principalmente sobre la comparación de unos manjares con otros, y también de los comentarios admirativos que suscitaba el señor Taylor, por ser el único de todos ellos capaz de manejar con destreza los palillos chinos, sin necesidad de acudir a la cuchara o al tenedor. De vez en cuando el señor Li-Fu-

Chin se acercaba muy risueño a la mesa para preguntarles que si les estaba gustando.

—Ya lo creo, un banquete, amigo, un verdadero banquete —contestaba satisfecho el señor Allen—. Traiga un poco más de arroz tres delicias, y otra de cerdo en salsa agridulce.

—Va a sobrar, Samuel —le advertía la señora Allen en voz baja.

—¡Que sobre, qué demonios! ¡Un día es un día! ¿Verdad, Sarita?

—Pero la reina de la fiesta comer poquito, como un pájaro —decía el señor Li-Fu-Chin, fijándose en lo desganadamente que Sara se llevaba el tenedor a la boca—. ¿Es que no te gusta, guapa?

—Sí, señor, muchas gracias —contestaba Sara—. Está todo muy bueno.

No hacía más que acordarse de la abuela.

La verdad es que comer siempre le había parecido bastante aburrido, y hablar de lo que se estaba comiendo o de lo que se iba a comer, más todavía. Pero, al fin y al cabo, aquella reunión se estaba celebrando como homenaje a su cumpleaños, sus padres parecían disfrutar y estar de buen humor y ella estrenaba un vestido bastante bonito, aunque le picaba un poco por la parte de arriba y le daba calor. Tendría que haberse sentido más dichosa. Y cuando lo pensaba, intentaba animarse, mostrarse amable. Pero veía los carrillos de Rod moviéndose sin tregua, oía el ruido de los cubiertos al chocar contra los platos y el rumor de las risas, se fijaba en aquellas aves zancudas con patas y pico de oro pintadas en la pared y no entendía por qué le estaban entrando tantas ganas de llorar.

De postre trajeron unos pastelitos como de barquillo duro, con sorpresa dentro. Crujían al partirlos por la mitad y salían unos papeles pequeños y alargados como serpentinas de colores diferentes. Cada uno llevaba escrito un mensaje. Se los leían unos a otros con mucho alborozo, preguntando luego: «A ver qué dice el tuyo», y se reían cuando les parecía apropiada la frase.

El papelito de Sara era de color malva. Se puso muy colorada y se lo guardó en seguida sin querérselo leer a nadie, por mucho que le insistieron. Ponía: «Mejor se está solo que mal acompañado». Le pareció que iban a creer que lo había inventado ella y que había quedado escrito allí como por arte de magia. Y le remordía la conciencia de estar pensando precisamente eso que había leído. ¿Quién habría sido el duende capaz de adivinarle el pensamiento? Y se quedó inmóvil, mirando al vacío, como ajena a todo lo que estaba ocurriendo a su alrededor.

No hacía más que acordarse de la abuela, de lo corto que se le había hecho el tiempo en su casa, de todas las cosas que les habían quedado por hablar.

La señora Allen, que no la perdía de vista, le dio un codazo a la señora Taylor.

—¿Ves? —le susurró en voz baja—. Ésa es la cara que te digo que pone muchas veces sin saber por qué. A mí me asusta. ¿En qué estará pensando? Yo creo que mi madre le mete fantasías en la cabeza.

La señora Taylor, sonriendo, le dio un golpecito amistoso en el brazo, como si quisiera consolarla.

—Todos hemos pasado por esa edad. Es la edad de la fantasía —dijo magnánima—. Pero está poniéndose guapísima.

—Sí, ya ves, eso también me preocupa. Porque tal como está la vida hoy...

—Por favor, Vivian, te preocupa todo. Relájate, mujer, y disfruta.

—Tienes razón, Lynda; qué sería de mí sin tus consejos... Pero es que, no sé, cuando estoy a gusto, siempre me parece que va a pasar algo malo.

—Calla, mujer, no seas agorera...

Cuando ya parecía que se había acabado todo, vino de la cocina el señor Li-Fu-Chin, trayendo una tarta con diez velitas encendidas.

El señor Allen, que estaba muy contento, se levantó y empezó a cantar a voz en cuello el *Happy birthday to you*, coreado inmediatamente no sólo por los comensales de su mesa, incluido Rod, sino por otras personas desconocidas que estaban repartidas por otras mesas del restaurante. El señor Allen las animaba risueño a que se unieran al coro, haciendo gestos ampulosos con las manos, como si fuera un director de orquesta. Sara bajó los ojos. Le daba una vergüenza horrible.

—¡Anda, hija, no seas sosa! ¿En qué estás pensando? ¡Sopla las velas! —dijo la señora Allen con un acento de reproche—. ¿No te hace ilusión? Pero tienes que pedir algo.

Sara se concentró. «Que vuelva a ver a la abuela vestida de verde», dijo para sí misma, clavándose las uñas en la palma de las manos.

Luegó sopló las velas lo más fuerte que pudo, casi con rabia, como si quisiera acabar con aquella ceremonia lo más pronto posible. Se apagaron las diez al mismo tiempo. Oyó aplausos a su alrededor.

—Buena suerte. Eso quiere decir buena suerte —afirmó la señora Taylor—. ¿No te habrás olvidado de formular un deseo?, ¿verdad?

—No —dijo Sara.

—Y es secreto, ¿a que sí?

—Sí —dijo Sara.

El señor Li-Fu-Chin le entregó un cuchillo y los aplausos se redoblaron.

—Tú partir tarta. Yo ayudar.

—¡A mí primero! ¡Un trozo grande! —dijo Rod, adelantando su plato a codazos.

—¡Qué buena cara tiene esa tarta! —comentó el señor Taylor.

Y la señora Allen sonrió complacida.

—Es la ventaja de venir a un restaurante de amigos. En otro sitio no nos hubieran consentido esto —dijo.

El señor Li-Fu-Chin guiñó un ojo a la señora Allen. Los Taylor los miraban sin comprender.

—Es que la tarta la ha hecho Vivian anoche —aclaró el señor Allen—. Tarta de fresa. Es su especialidad, ¿verdad, mujercita? Puede competir con las de El Dulce Lobo.

Ella hizo un gesto de falsa modestia, como queriendo quitarle importancia al comentario de su marido. El Dulce Lobo era la pastelería más famosa de todo Manhattan. Hacían setenta y cinco clases de tartas diferentes. Estaba cerca de Central Park, y tenía además dos salones de té, donde nunca se encontraba sitio libre para merendar, aunque eran muy grandes.

—No exageres, hombre —dijo la señora Allen—. Además, que la prueben primero. Creo que me ha salido bastante buena. Pero son ellos los que tienen que juzgar.

La probaron, repitieron todos, menos Sara, y no quedó ni una migaja.

—Ya quisiera El Dulce Lobo —comentó Philip Taylor—. Y si no, aunque sólo sea por una apuesta, reservamos allí mesa para un fin de semana, pedimos la tarta de fresa y la comparamos con la de Vivian. ¿A que es una buena idea?

—Pues por mí, eso está hecho —dijo el señor Allen.

Y Sara notó que por primera vez se enorgullecía, ante sus vecinos, de la tarta de fresa. Miraba muy satisfecho a su mujer.

—Y como sea peor —siguió el señor Taylor—, llamamos al dueño, y le decimos: «¿Y a usted le llaman el Rey de las Tartas? ¡Vamos, hombre! La Reina está aquí, aquí tiene usted a la verdadera Reina de las Tartas». Y se tendrá que callar, por muy Dulce Lobo que sea.

Todos se reían mucho, y la señora Allen miraba arrobada a Philip Taylor.

La comida terminó, pues, como era de esperar, cantando las alabanzas de la tarta de fresa.

Aquella noche la volvió a hacer, aunque decía que estaba cansada, porque al día siguiente era sábado y tenían que ir, como siempre, a casa de la abuela.

Cuando la señora Allen estaba sacando del horno la tarta de fresa, y Sara ya se había metido en su cuarto a leer el librito que le había regalado la abuela sobre la estatua de la Libertad, llamaron al teléfono y el señor Allen fue al *living* a cogerlo. Desde la cocina y desde el cuarto de Sara se oían retazos de una conversación agitada y plagada de silencios. La señora Allen aguzó el oído. «¡No puede ser!, ¡no puede ser!», exclamaba el señor Allen entrecortadamente.

Sara salió de su cuarto y se tropezó con su madre en el pasillo. Venía secándose las manos con el delantal.

—¿Qué pasa? —preguntó la niña.

—No lo sé, hija. Voy a ver. Parece alguna noticia mala.

Sara se volvió a meter en su cuarto pero dejó la puerta abierta. Al poco rato oyó llantos. Luego, que colgaban el teléfono. Sus padres avanzaban por el pasillo abrazados y llorando. Ella los siguió a la cocina. Su madre decía entre hipos:

—La dicha, Samuel, hay que pagarla con llanto. Se lo estaba yo diciendo a Lynda precisamente hoy a la hora de comer. Y ella, que soy una agorera. Sí, sí, agorera... ¡Pobre Josef!

Después de un rato, se enteró Sara de que un hermano de su padre, que ella no conocía, el tío Josef, había tenido un accidente de automóvil cerca de Chicago, donde vivía, y había muerto en el acto.

La señora Allen, a quien tanto hacían vibrar las catástrofes, se mostraba más cariñosa que nunca con su marido. Llegó a sentarse en sus rodillas y a besarle como a un niño. Luego, mientras le hacía una tila, se pusieron a discutir los detalles del viaje a Chicago. El señor Allen fue a su dormitorio a buscar unos folletos que tenía con los distintos horarios de trenes y de aviones.

—Me parece un disparate que tú vengas también, Vivian. Es el doble de gasto. Y además él y tú os habíais visto poco —le decía mientras miraba los folletos y sacaba cuentas en una computadora de bolsillo.

Pero no logró disuadirla. En un trance como aquél, ¿cómo iba a dejarle solo? Ni que estuviera loca, lo primero era lo primero. Y además, ¿qué dirían los parientes si le veían llegar sin ella al entierro? Capaces de pensar que lo suyo se había ido a pique.

—Pobre Sara —dijo el padre en un determinado momento, mirándola—. ¡Vaya un final de cumpleaños!

Pero, aparte de este comentario, no volvieron a hablar con ella ni a consultarle nada. Así que se fue otra vez a su cuarto y siguió leyendo, porque le parecía que todo aquel trastorno no tenía nada que ver con ella. Y en cambio el libro que le había regalado la abuela le estaba apasionando. Tenía las tapas azules y un grabado grande con el rostro de la estatua en aumento. Se titulaba: *Construir la Libertad.*

Al cabo de diversas llamadas telefónicas, cuchicheos y pasos que iban y venían de una habitación a otra, los señores Allen se dirigieron al dormitorio de su hija.

Sara se había tumbado vestida en la cama. La idea de construir la estatua de la Libertad había nacido en Francia. Se la encargaron a un escultor alsaciano llamado Fréderic Auguste Bartholdi, que empezó a trabajar en 1874, usando a su madre como modelo para la primera maqueta, que sólo tenía nueve pies de alto.

Se había quedado medio dormida leyendo eso, pensando fascinada en que madame Bartholdi fue mujer antes de ser estatua, y la entrada de sus padres la sobresaltó. Los acompañaba Lynda Taylor. Al principio no entendía nada. Escondió el libro, sin saber por qué.

Venían a notificarle que salían para Chicago al cabo de tres horas en un avión nocturno. Al día siguiente, sábado, sería el entierro del tío Josef. Y el domingo por la noche, estarían de vuelta. Ella se quedaría en casa de los Taylor.

—Pero teníamos que llevarle la tarta a la abuela. ¿Se lo habéis dicho a la abuela?

—¡De qué cosas te acuerdas, hija! —dijo el señor Allen—. Ahora la llamaremos.

—Anda, bonita, coge tu ropa y súbete conmigo —le dijo Lynda Taylor en tono protector.

—Aquí tienes las llaves de casa para cuando necesites bajar por algo —le advirtió la señora Allen—. Por favor, hija mía, acabas de cumplir diez años. Y ya tienes edad de hacerte cargo de las cosas. Espero que te portes bien.

—Naturalmente que se portará bien —intervino Lynda con un acento artificioso y musical—. ¿Verdad que eres una niña responsable?

Sara no la miró ni contestó nada.

Segunda parte

LA AVENTURA

A quien dices tu secreto, das tu libertad.
(Tragicomedia de Calisto y Melibea)

SEIS

Presentación de miss Lunatic. Visita al comisario O'Connor

uando oscurecía y empezaban a encenderse los letreros luminosos en lo alto de los edificios, se veía pasear por las calles y plazas de Manhattan a una mujer muy vieja, vestida de harapos y cubierta con un sombrero de grandes alas que le tapaba casi enteramente el rostro. La cabellera, muy abundante y blanca como la nieve, le colgaba por la espalda, unas veces flotando al aire y otras recogida en una gruesa trenza que le llegaba a la cintura. Arrastraba un cochecito de niño vacío. Era un modelo antiquísimo, de gran tamaño, ruedas muy altas y la capota bastante deteriorada. En los anticuarios y almonedas de la calle 90, que solía frecuentar, le habían ofrecido hasta quinientos dólares por él, pero nunca quiso venderlo.

Sabía leer el porvenir en la palma de la mano, siempre llevaba en la faltriquera frasquitos con ungüentos que servían para aliviar dolores diversos, y merodeaba indefectiblemente por los lugares donde estaban a punto de producirse incendios, suicidios, derrumbamientos de paredes, accidentes de coche o peleas. Lo cual quiere decir que se recorría Manhattan a unas velocidades impropias de su edad. Incluso había quienes aseguraban haberla visto la misma noche a la misma hora circulando por barrios tan distantes como el Bronx o el Village, y metida en el escenario de dos conflictos diferentes, como alguna vez quedó acreditado en fotos de prensa. Y entonces no cabía duda. Porque si salía retratada, aunque fuera en segundo término y con la imagen desenfocada, su peculiar aspecto hacía imposible que nadie pudiera confundirla con otra mendiga cualquiera. Era ella, seguro, era la famosa miss Lunatic. Por ese apodo se la conocía desde hacía mucho tiempo, y sus extravagancias la habían hecho alcanzar una popularidad rayana en la leyenda.

No tenía documentación que acreditase su existencia real, ni tampoco familia ni residencia conocidas. Solía ir cantando canciones antiguas, con aire de balada o de nana cuando iba ensimismada, himnos heroicos cuando necesitaba caminar aprisa. Tan pronto se detenía ante los escaparates lujosos de la Quinta Avenida, como se entretenía revolviendo en los vertederos de basura de la periferia con su bastón con puño dorado que representaba un águila bicéfala. Cuando encontraba algún mueble o cachivache en buen estado de conservación, lo cargaba en su cochecito y lo transportaba a alguna almoneda de aquellas donde la conocían. Y todo lo que pedía a cambio era un plato de sopa caliente.

La verdad es que tenía muchos amigos de distintos oficios o sin ninguno. La gente la quería sobre todo porque no caía en ese defecto, tan corriente en los viejos, de enrollarse a hablar sin ton ni son, venga o no venga a cuento y aunque la persona que los está oyendo tenga prisa o se aburra. Ella miraba mucho con quién estaba hablando. A veces podía ser bastante charlatana, pero sus historias no se las contaba al primero que aparecía. Prefería esperar a que se las pidieran, y en general le gustaba más escuchar que ser escuchada. Decía que con eso se adquiere experiencia.

—¿Y para qué quiere usted más experiencia de la que tiene, miss Lunatic? —le preguntaban algunos—. ¿No lo sabe ya todo?

Ella se encogía de hombros.

—De la gente no. La gente siempre está cambiando. Y cada persona es un mundo —contestaba—. A mí me encanta que me cuenten cosas.

Hablaba con los vendedores ambulantes de bisutería y de perritos calientes, africanos, indios, portorriqueños, árabes, chinos, con los viajeros extraviados por los largos pasillos del metro o por los andenes de Penn Station entre confusas consignas de altavoces, con los porteros de los hoteles, con los patinadores, con los borrachos, con los cocheros de caballos que tienen su parada en el costado sur de Central Park. Y todos tenían alguna historia que contar, algún paisaje de infancia que revivir, alguna persona querida a la que añorar, algún conflicto para el cual pedir consejo. Y aquellas historias acompañaban luego a miss Lunatic, cuando volvía a caminar sola; se le quedaban durante un trecho enredadas a sus harapos como serpentinas de oro que nimbasen su figura, impidiéndola borrarse en el olvido.

También se dedicaba a recoger gatos sin dueño y a tratar de establecer contacto con familias acomodadas para que los adoptasen. Nadie entendía cómo conseguía estos contactos, con lo desconfiada que es la gente en Nueva York, pero lo cierto es que no era raro encontrarla a la salida del Hotel Plaza o de alguna joyería de Lexinghton Avenue, hablando con gente lujosamente vestida.

Era muy amiga de los bomberos. A veces, aunque era perfectamente ilegal, se la había visto montada con ellos en el veloz coche reluciente y rojo, a cuyo paso todos los demás se apartan. Lo que más le gustaba era que la dejaran ir tirando del cordón de la campana niquelada. Al son de aquel tintineo, las mejillas apergaminadas de miss Lunatic se coloreaban de emoción y alegría bajo el ala de su gran sombrero.

Pero las zonas que frecuentaba de forma más asidua eran las habitadas por gente marginal, y su vocación preferida, la de tratar de inyectar fe a los desesperados, ayudarles a encontrar la raíz de su malestar y a hacer las paces con sus enemigos. Lograba pocos resultados, pero no se desanimaba, y eso que la insultaron muchas veces por meterse donde nadie la había llamado, y llegaron a echarla a patadas de un local de Harlem, por defender a un negro al que estaban atacando otros cuatro, mucho más robustos.

—Lárguese de aquí, miss Lunatic —le dijo, al verla tirada en la acera, la dueña de una tintorería que había al lado—. Después de todo, es echar margaritas a puercos.

—Ni hablar —dijo ella, levantándose y recogiendo del suelo su sombrero—. Voy a volver a entrar, a ver si me hacen caso. He debido explicarme mal. O tal vez es que están ellos demasiado ofuscados.

Si le preguntaban dónde vivía, contestaba que de día dentro de la estatua de la Libertad, en estado de letargo, y de noche, pues por allí, en el barrio donde estuviera cuando se lo estaban preguntando. Haciendo compañía a los solitarios como ella, a todos los que pululan por los garitos de mala vida y duermen en bancos públicos, casas en ruinas y pasos subterráneos.

Confesaba tener ciento setenta y cinco años, y caso de no ser verdad, habría que admirarla cuando menos por su conocimiento de la Historia Universal a partir de la muerte de Napoleón, y por la familiaridad con que hablaba de artistas y políticos del siglo XIX, con alguno de los cuales aseguraba haber tenido trato estrecho. Había gente que se reía de ella, pero en general se le tenía respeto, no sólo porque no hacía daño a nadie, era discreta y se explicaba con gran propiedad —siempre con un leve acento francés—, sino porque, a pesar de sus ropas de mendiga, conservaba en la forma de moverse y de caminar con la cabeza erguida un aire de altivez e independencia que cerraba el paso tanto al menosprecio como a la compasión. Siempre se responsabilizaba de sus actos y no parecía verse metida más que en aquello en lo que quería meterse.

Debido a su tendencia, de la que ya se ha hablado, a mediar en las reyertas entre borrachos o delincuentes peligrosos, intentando que las partes rivales llegaran a un acuerdo por vías razonables, se llegó a ver implicada como sospechosa en asuntos turbios. Más de una vez, tomándola por cómplice de alguna fechoría, la apuñalaron sin consideración a su edad. Pero al parecer era invulnerable, según contaban luego con gran asombro los testigos presenciales del suceso. Porque, a pesar de que el arma blanca había sido empuñada contra ella vigorosamente y con todo encono, nadie vio brotar una sola gota de sangre del cuerpo desmedrado de miss Lunatic. Por otra parte, la Policía, que la había detenido varias veces, nunca encontró pruebas para inculparla de nada.

Un veterano comisario del distrito de Harlem, fascinado por la valentía de miss Lunatic, sus múltiples contactos con gente del hampa y su talento para testificar en los casos difíciles, la mandó llamar una tarde de invierno para proponerle un trato. Se le asignaría una suma bastante importante de dinero, si se prestaba a colaborar como confidente de la Policía. Ella se indignó. Informar a las autoridades de que había un fuego, se había caído el alero de un tejado o se necesitaba urgentemente una ambulancia era algo muy diferente a convertirse en acusica. Ni que estuviera loca. Y en cuanto al dinero, muchas gracias, pero no la tentaba.

—¿Para qué necesito yo el dinero, mister O'Connor? —preguntó—. ¿Me lo quiere usted decir?

Tenía las manos cruzadas sobre la mesa, y el comisario se fijó en aquellos dedos deformados por el reúma y enrojecidos por el frío.

—Para asegurarse la vejez —dijo.

Miss Lunatic se echó a reír.

—Perdone, señor, pero llegué a Manhattan en 1885 —dijo—. ¿No le parece que he dado pruebas suficientes de saber asegurarme yo sola la vejez?

El comisario O'Connor la contempló con curiosidad desde el otro lado de la mesa.

—¿En 1885? ¿El mismo año que trajeron aquí la estatua de la Libertad? —preguntó.

En los labios de miss Lunatic se dibujó una sonrisa de nostalgia.

—Exactamente, señor. Pero le ruego que no me someta a ningún interrogatorio.

—Solamente contésteme a una cosa —dijo él—. He oído decir que no tiene usted ingresos conocidos. Y que tampoco pide limosna.

—Es verdad, ¿y qué?

—Tranquilícese, le aseguro que no se trata de una investigación policiaca. Sólo pretendo ayudarla. ¿Es que no le interesa el dinero?

—No; porque se ha convertido en meta y nos impide disfrutar del camino por donde vamos andando. Además ni siquiera es bonito, como antes, cuando se gozaba de su tacto como del de una joya.

El comisario observó que, mientras miss Lunatic decía aquellas palabras, acariciaba unas monedas muy raras que había sacado de una bolsita de terciopelo verde, y jugueteaba con ellas. No eran de gran tamaño, despedían un fulgor verdoso, y parecían muy antiguas. Estuvo a punto de preguntarle de dónde procedían, porque nunca las había visto de ese tipo, pero se contuvo por miedo a ganarse su desconfianza. Prefería seguir oyéndola hablar de lo que fuera. Hubo una pausa y ella volvió a guardar las monedas en la bolsa.

—Ahora ya no —continuó tras un suspiro—. Ahora el dinero son viles papeluchos arrugados. Yo cuando tengo alguno, estoy deseando soltarlo.

—Todo lo papeluchos que usted quiera —interrumpió el comisario—, pero hacen falta para vivir.

—Eso suele decirse, sí. Para vivir... Pero ¿a qué llaman vivir? Para mí vivir es no tener prisa, contemplar las cosas, prestar oído a las cuitas ajenas, sentir curiosidad y compasión, no decir mentiras, compartir con los vivos un vaso de vino o un trozo de pan, acordarse con orgullo de la lección de los muertos, no permitir que nos humillen o nos engañen, no contestar que sí ni que no sin haber contado antes hasta cien como hacía el Pato Donald... Vivir es saber estar solo para aprender a estar en compañía, y vivir es explicarse y llorar... y vivir es reírse... He conocido a mucha gente a lo largo de mi vida, comisario, y créame, en nombre de ganar dinero para vivir, se lo toman tan en serio que se olvidan de vivir. Precisamente ayer, paseando por Central Park más o menos a estas horas, me encontré con un hombre inmensamente rico que vive por allí cerca y entablamos conversación.

Pues bueno, está desesperado y no sabe por qué. No le saca partido a nada ni le encuentra aliciente a la vida. Y claro, se obsesiona por tonterías. Al cabo de un rato, parecía yo la millonaria y él el mendigo. Nos hicimos muy amigos. Dice que él no tiene ninguno. Bueno, uno, pero que se está hartando de él.

—¡Qué historia tan interesante! —dijo el señor O'Connor.

—Sí, es una pena que no tenga tiempo para contársela con detalle. Pero he quedado en ir dentro de un rato a su casa a leerle la mano. Aunque no sé si servirá de mucho, ya se lo advertí ayer, porque yo el porvenir no lo leo cerrado, sino abierto.

—¿Qué quiere decir eso?

—Que no doy soluciones, me limito a señalar caminos que se cruzan y a dejar a la gente en libertad para que elija el que quiera. Y mister Woolf está ansioso de soluciones, me temo que necesita que le manden. Tal vez porque está harto de hacerse obedecer. Edgar Woolf se llama. Gana el dinero a espuertas. Tiene un negocio muy acreditado de pastelería.

El comisario la miró con los ojos redondos por la sorpresa.

—¿Edgar Woolf? ¿El Rey de las Tartas? ¿Va a ir usted a casa de Edgar Woolf? Vive en uno de los apartamentos más lujosos de Manhattan, ¿lo sabía? Pero tiene fama de ser inaccesible, de no recibir a nadie.

—Pues ya ve, será que yo le he caído bien. A ver si se cree usted que sólo me trato con desheredados de la fortuna. Aunque ahora que lo pienso —rectificó luego—

también mister Woolf es un desheredado de la fortuna. Para mí la única fortuna, ya le digo, es la de saber vivir, la de ser libre. Y el dinero no libera, querido comisario. Mire usted alrededor, lea los periódicos. Piense en todos los crímenes y guerras y mentiras que acarrea el dinero. Libertad y dinero son conceptos opuestos. Como lo son también libertad y miedo. Pero, en fin, le estoy robando tiempo. No he venido para echarle un discurso, y en cuanto a su propuesta, ya la he contestado con creces, ¿no le parece a usted? Conque olvídeme, si puede.

El comisario O'Connor la miraba entre pensativo y perplejo.

—Así que usted no tiene dinero ni miedo... —dijo.

—Yo no. ¿Y usted?

El rostro del comisario se ensombreció.

—Yo miedo sí, muchas veces. Se lo confieso.

—Pues eso es mala cosa para su oficio. El miedo cría miedo, además. ¿Dónde lo siente? ¿En la boca del estómago?

El comisario se quedó dudando, y se palpó aquella zona, bajo el chaleco.

—Pues sí, más o menos.

—Ya. Es lo más corriente. Espere un momento a ver.

Miss Lunatic, ante el pasmo del comisario O'Connor, se puso a hurgar en su faltriquera y sacó varios frasquitos que alineó sobre la mesa.

—¡Vaya por Dios! Lo siento. Tenía un elixir bastante bueno contra el miedo, pero se me ha gastado. Es el que más me piden.

Luego, mientras volvía a guardarse los frasquitos, añadió:

—Claro que hay otra forma de espantar el miedo, pero no es propiamente una receta, porque tiene que poner mucho de su parte el paciente. Consiste en pensar: «A mí esto que me asusta no me va ni me viene», algo así como ver lejos lo que le está dando a uno miedo, para que se desdibuje.

—Eso no acabo de entenderlo.

—Casi nadie; por eso digo que da poco resultado recetárselo a otro. A lo mejor un día, de pronto, lo siente usted solo y lo entiende... En fin, ¿me da permiso para retirarme?

El comisario O'Connor asintió. Pero cuando la vio levantarse, agarrar su cochecito y dirigirse a la puerta, tuvo una sensación muy triste, como de miedo a estarse despidiendo de ella para siempre. Y la volvió a llamar. Ella se detuvo, interrogante.

—Miss Lunatic —dijo—. Es usted maravillosa.

—Gracias, señor. Eso mismo me decía siempre mi hijo, que en paz descanse. Un gran artista, por cierto, aunque la memoria voluble de las gentes haya sepultado su nombre... ¿Quería usted decirme algo más?

—Sí. Que no me gustaría que pasara usted hambre ni frío.

—No se preocupe. No los paso.

—Me parece increíble, perdone que se lo diga. ¿Y cómo hace? ¿Cómo se las arregla para salir adelante?

Miss Lunatic se detuvo en el centro de la habitación. Se levantó el ala del sombrero con gesto solemne y miró al señor O'Connor. Sus ojos negros, brillando en el rostro pálido y plagado de surcos, parecían carbones encendidos. Y ella, en medio de aquella estancia de paredes desnudas, una figura de cera.

—Echándole fuerza de voluntad, señor, para decirlo con palabras de El Caballero Inexistente.

—¿Otro amigo suyo? —preguntó el comisario.

—Pues sí. Aunque éste es un personaje inventado. ¿Le gustan las novelas?

—Mucho. Lo que pasa es que tengo poco tiempo de leer.

—Pues cuando saque un ratito le recomiendo *El caballero inexistente*. No es muy larga. Acabo de verla traducida del italiano esta tarde, al pasar por el escaparate de Doubleday.

—¡Cuánto trota por Manhattan! Veo que no para usted un momento.

—Así es. Tiene usted razón. Yo no comprendo cómo dice la gente que se aburre. A mí nunca me da tiempo para todo lo que quisiera hacer... Y ahora siento dejarle. Pero he quedado con mister Woolf, y antes había pensado darme una vueltecita en coche de caballos por Central Park. Gratis, por supuesto. Me lo tiene prometido un cochero angoleño que me debe algunos favores. Convencí a una hija suya para que no se suicidara. Conque lo dicho. Adiós, comisario.

El comisario O'Connor se levantó para abrirle la puerta y le estrechó la mano efusivamente.

—Espero que volvamos a vernos —dijo—. La vida es larga, miss Lunatic. Y da muchas vueltas.

—Ya lo creo. Digámelo usted a mí —contestó ella sonriendo.

—Pues nada, mujer, salud. Y abríguese, que se está poniendo el tiempo como para nevar.

—Es lo suyo. Estamos en diciembre.

Al salir, hacía un viento muy frío, que alborotó la larga melena blanca de miss Lunatic. Apresuró el paso hacia la calle 125. Había decidido coger allí el metro hasta Columbus Circle.

Mientras canturreaba un himno alsaciano, se puso a pensar en Edgar Woolf, el Rey de las Tartas.

SIETE

La fortuna del Rey de las Tartas. El paciente Greg Monroe

l rascacielos donde vivía Edgar Woolf era suyo todo entero, planta por planta, ascensor por ascensor, ventana por ventana, pasillo por pasillo. O sea que las más de tres mil personas que trabajaban del sótano al piso cuarenta de aquel edificio eran empleados a las órdenes del Rey de las Tartas, y no había una sola habitación alquilada para otras oficinas, aunque todavía quedara alguna de sobra. Pero estas estancias disponibles iban siendo cada vez menos, a medida que el negocio, en auge creciente, requería instalaciones más modernas, ornamentación puesta al día y maquinaria en continua renovación.

O por lo menos eso es lo que se empeñaba en creer mister Woolf, porque ya se sabe que los ricos sólo piensan en aumentar su riqueza, sacándole más rendimiento al dinero que ganan. En sus ratos libres, visitaba aquellos espacios aún vacíos, se paseaba por ellos de arriba abajo con las manos a la espalda, se detenía pensativo, sacaba un metro del bolsillo, tomaba medidas de una pared. Y por encima de su cabeza afilada, rodeada de una pelambrera rojiza, surgían, como en una nubecita de comic, las imágenes de las nuevas instalaciones que proyectaba para ampliar los departamentos de publicidad, de experimentos culinarios, de librería; los talleres de reparación de material, los despachos administrativos, la planta de investigación química, la de facturación de envíos al extranjero, las tres plantas de hornos y cocinas. Nadie habría podido convencerle de que se estaba montando la cabeza con proyectos inútiles, porque en cuanto los imaginaba, se convertían para él en necesidades de urgente realización. Y no veía el momento de avisar a los arquitectos y diseñadores de mayor renombre para emprender las obras de mejora. No vivía para otra cosa.

Aquel negocio millonario, cada año más próspero y famoso, había tenido su origen, tiempo atrás, en una modesta pastelería de la calle 14, regentada primero por el abuelo de Edgar Woolf y luego por su padre. La única coincidencia que podía servir de dato para relacionar la multinacional pastelera de ahora con aquella tiendecita olvidada era que conservaba el nombre con que ésta fue registrada por su primer dueño. Efectivamente, en honor al apellido de la familia, se seguía titulando *The Sweet Woolf*, o sea El Dulce Lobo. A pesar de la opinión en contra de ciertos asesores publicitarios de Edgar Woolf, que le desaconsejaron aquel nombre por juzgarlo anticuado y poco comercial, él se mantuvo firme en no cambiarlo por otro ninguno de los que le proponían.

Y años más tarde, cuando ya todo Manhattan sabía que para probar las tartas de El Dulce Lobo, había que reservar mesa con anticipación en uno de los dos enormes salones de té del entresuelo, o hacer cola en los mostradores de la lujosa pastelería que ocupaba los mil metros cuadrados de la planta baja, Edgar Woolf llamó a su despacho a aquellos consejeros y los despidió sin paliativos, aunque con una generosa indemnización, porque tacaño nunca lo había sido.

—No quiero gente inepta a mi lado —les comunicó.

—¿Por qué nos dice usted eso, mister Woolf? —le preguntó el menos tímido y más pelotillero.

—Por lo del nombre poco comercial. ¡Anda, que si llega a serlo!

Tanto los salones de té como la pastelería tenían grabado en las puertas giratorias de la entrada el dibujo en dorado de un lobo relamiéndose, emblema que también estaba marcado en el papel de envolver y en las servilletas.

Los niños que pasaban por El Dulce Lobo, detrás de cuyos cristales se exhibía sobre rasos y terciopelos la mayor variedad de postres jamás conocida, con un buen gusto más propio de vitrina de joyero que de confitero, se quedaban rezagados delante de aquellos escaparates marcados con las iniciales E. W., mientras aspiraban con gesto goloso el aroma que salía del interior por las puertas giratorias en continuo trasiego. Era frecuente oír algún llanto desconsolado o presenciar alguna rabieta, porque se mostraban tan contrarios a apartarse de allí que muchas veces sus madres tenían que recurrir a la violencia para tirar de ellos.

Realmente el olor a bollos, tartas y pasteles recién sacados del horno que invadía la calle en aquel tramo era tan apetitoso y tentador que circulaba un eslogan de autor desconocido, con el que los insatisfechos se solían consolar, y que decía:

> El Dulce Lobo es la tienda
> donde sólo con oler
> se desayuna o merienda.

El edificio, flanqueado por dos callejones de seguridad, en previsión de robos e incendios, tenía forma octogonal, y la parte de abajo, donde estaba la gran repostería y encima de ella los salones de té Dulce Lobo I y Dulce Lobo II, constituía la base más ancha y sólida, reforzada por dieciséis gruesas columnas de mármol color chocolate. Luego aquella base se iba estrechando progresivamente cada cinco pisos hasta llegar al cuarenta, que era el último. Con este estrechamiento hacia arriba se lograba el efecto óptico deseado por el arquitecto que ideó el edificio: es decir que tuviera, como en realidad tenía, forma de tarta. Había luego otros muchos detalles ornamentales que contribuían a sugerir la impresión de estar ante una tarta gigantesca, como eran las orlas talmente de merengue que se dibujaban sobre las ventanas y la alternancia de los colores bizcocho, avellana, natillas, guirlache, fresa, caramelo, turrón y chocolate con que estaban pintadas las paredes de las distintas franjas según se subía la vista hasta la terraza octogonal de la cumbre.

Esta terraza, lo más llamativo de todo el rascacielos, estaba coronada por adornos de grueso cristal policromado imitando diversas frutas, cada cual del color que en realidad le correspondía para lograr mayor verismo: plátanos, grosellas, limones, manzanas, cerezas, peras, naranjas, ciruelas, uvas, higos y fresas. Eran de un tamaño enorme, con el fin de que pudieran ser bien apreciadas desde la calle.

Cuando empezaba a caer la noche, mediante un sistema eléctrico que se conectaba desde el piso cuarenta con el interior de las frutas, se iluminaban éstas, nimbadas de unos efectos tan especiales que era habitual encontrarse a grupos de turistas y curiosos congregados en la acera de enfrente a la del edificio, mirando embobados para arriba y tratando de sacar fotos. Porque los turistas, ya se sabe, lo que quieren no es ver las cosas, sino retratarlas. Las distintas frutas de la terraza se encendían y se apagaban por turno, como si las estuviera recorriendo un calambre, hasta llegar a un instante de oscuridad total. Luego venía un estallido más intenso que las iluminaba todas a la vez, mientras del interior de cada una empezaba a salir como un surtidor de pepitas de oro que se disparaba hacia el cielo oscurecido y caía luego en una cascada lenta, chispeante y silenciosa.

Era francamente espectacular. Porque además, para completar aquel caprichoso remate, entre cada fruta de cristal y la siguiente se alzaban unas columnas blancas con capuchón iluminado, que figuraban ser velas de las que se ponen en las tartas de cumpleaños. Para dotar de realismo a aquellas fingidas velas se había conseguido una ilusión óptica muy original: consistía en que la llama engrosaba o se empequeñecía y oscilaba más o menos a compás del viento que soplase.

Todos estos efectos de luminotecnia se gobernaban desde una gran nave instalada en el último piso. Allí estaban también las máquinas de aire acondicionado, las de depuración de agua, las calderas, las diferentes chimeneas de salida de humos, todo un vasto reino, en fin, surcado de tuberías, de llaves, de botones, de grifos y palancas, de circuitos cerrados de televisión y de toda clase de artilugios para poner a punto el funcionamiento interno de toda aquella empresa. O sea que allí, en la nave del piso cuarenta, estaban «las tripas y el cerebro del negocio», como solía decir con humor Greg Monroe, un viejo empleado de mister Woolf, a cuyo cargo corría la revisión y cuidado de toda aquella maquinaria, tan sofisticada que nunca dejaba de causar algún quebradero de cabeza.

—Claro, que ni la mitad de los que me causas tú, Edgar, cuando te da por inventar problemas que no existen y me los cuelgas a mí para que te los resuelva —le decía a veces impaciente a su amo—. Yo, de verdad, no puedo dar abasto a todo y ya te lo aviso: el día menos pensado me voy a hartar de ti.

—No sé cuántos años hace que me vienes amenazando con lo mismo.

—De eso te aprovechas, de que tengo más paciencia que el santo Job. Pero hasta que se me agote, claro.

De todos los empleados que estaban a las órdenes del Rey de las Tartas era Greg Monroe el único que le tuteaba y se atrevía a hablarle en ese tono.

A la edad de diez años, había entrado a trabajar como chico de los recados en la pastelería de la calle 14, justo una semana antes de que la nuera del viejo dueño se pusiera de parto y naciera Edgar Woolf, que nunca tuvo más hermanos y fue creciendo enclenque, mimado y caprichoso. Greg le tomó cariño desde que nació y lo conocía mejor que nadie.

Fue su primer amigo mayor, y el más fiel que Edgar había de tener nunca. Le había enseñado a dibujar, a montar en bicicleta, a construir tiradores, a cazar ratones, a tallar madera y a reparar máquinas rotas. Más adelante, había sacado la cara por él en las peleas callejeras, había encubierto sus faltas para defenderlo de alguna riña paterna, le había hablado de sus experiencias amorosas con las chicas. Había sido, en fin, sucesivamente su cómplice, su confidente y su consejero sentimental.

Pero aquel chico despierto, tenaz e imaginativo pronto tuvo otras ambiciones. Y aunque nunca perdiera del todo el contacto con Edgar (por carta o por teléfono), los diferentes oficios que desempeñó posteriormente le alejaron de Nueva York y de su amigo durante muchas etapas de sus respectivas vidas. Greg Monroe había sido delineante, tramoyista, cámara de cine, inventor de aparatos electrónicos que llevaban su patente y, por fin, uno de los técnicos especializados en sonido y luminotecnia más solicitados de Manhattan.

Hasta que un día, cuando el volumen de los negocios de Edgar Woolf hizo indispensable el apoyo de un hombre de toda su confianza, pensó en Greg para ofrecerle el puesto de segundo de a bordo bajo las condiciones económicas que él tuviera a bien establecer. Greg, que acababa de enviudar y tenía a sus hijos ya casados y viviendo lejos, aceptó la oferta de su antiguo amigo. Pero no por sus ventajas económicas, sino porque se sentía solo y cansado. Y Edgar supo conmover sus cuerdas sentimentales, siempre más dispuestas a vibrar en tiempos de vejez o de desgracia.

Lo que, desde luego, no imaginaba es que iba a llegar a resultar tan indispensable en El Dulce Lobo. No sólo para «las tripas y la cabeza» de la empresa, sino también para las del dueño, que como apenas tenía amigos y no se fiaba de nadie, llegó a aficionarse tanto a la compañía del viejo Monroe que acabó necesitándolo y echando mano de él para todo.

—Chico, es que abusas. Eso no es de mi competencia —le solía decir cuando le consultaba asuntos relacionados con la calidad de las tartas—. No pretenderás que baje a la cocina para probar todos los productos que salen del horno a diario. Me moriría de un atracón. Además, para eso tienes a los Maestros Tartufos, que hasta les has inventado ese uniforme tan ridículo estampado de fresas y manzanas. No sé ni cómo no les da vergüenza montarse en el ascensor con semejante facha.

El viejo Monroe tenía un carácter tan bondadoso y sincero y una filosofía de la vida tan matizada por el sentido del humor que era imposible tomarse a mal ninguna de sus cariñosas críticas. Por otra parte, Edgar Woolf estaba muy necesitado de ambas cosas: de cariño y de crítica.

—Pero ellos no me quieren como tú. Me engañan. Ya ves lo de la tarta de fresa. Si no me lo llegas a decir tú, no me hubiera enterado...

—¿Pero de qué? Si yo no te dije nada. ¡Ay, por favor, Edgar, no volvamos con lo de la tarta de fresa...! —decía Greg muy nervioso.

—Claro, ahora quieres quitarle importancia, porque eres muy bueno. Pero ya hace meses que se comenta por todo Manhattan que mi tarta de fresa es una porquería, que me está desprestigiando el negocio, que sabe a jarabe. ¡Qué mancha, Dios mío, qué mancha para El Dulce Lobo! Y si no llega a ser por ti...

—¡Basta, por favor! —gritaba el viejo Monroe muy excitado—. Si te empeñas en sufrir, allá tú. Pero yo no te he dicho nada de eso, te obsesionas tú solo. Yo lo único que te dije es que un día se me ocurrió invitar a uno de mis nietos a merendar abajo y él no se acabó el trozo de tarta, porque le pareció que estaba un poco seca...

—No, también dijiste que tú la habías probado y que...

—Ay, ya no me acuerdo de lo que te dije. ¡Dichosa tarta de fresa! Puede que no sea de las que mejor te salgan, pero no es motivo para ponerse así. ¿Para qué demonios se me ocurriría comentarte nada? Acabaré por no abrir la boca cuando esté contigo.

—Pero lo malo es que el problema sigue sin resolverse, eso es lo malo...

—¡Problema, problema! —mascullaba Greg Monroe—. ¡Cómo se nota que nunca has sabido lo que es tener un problema en serio...!

Efectivamente, Edgar Woolf llevaba unos cuantos meses completamente obsesionado por culpa de la tarta de fresa. Había contratado a varios detectives para que se camuflaran entre los clientes de Dulce Lobo I y Dulce Lobo II, y le transmitieran puntualmente todos los comentarios desfavorables que recogieran acerca de la tarta de fresa. Al parecer no era de las que, en realidad, tenían mayor aceptación y se había llegado a oír decir en más de una mesa no sólo que el producto había bajado de calidad, sino que nunca la tuvo.

Edgar Woolf, cada día más alterado a causa de estos informes confidenciales, había perdido el sueño, estaba histérico y no sabía cómo remediar aquel ramalazo de mala suerte que por primera vez enturbiaba la fama de su negocio.

Había despedido a sucesivos pasteleros y, según él, ninguno acertaba con una receta verdaderamente eficaz. Por otra parte, el hecho de que cada quince o veinte días la tarta de fresa de El Dulce Lobo cambiara de sabor acentuaba el desconcierto de los consumidores. Porque hay que tener en cuenta que en los Estados Unidos el público es muy tradicional y poco amigo de innovaciones. Y con tantos cambios, al nuevo sabor no le daba tiempo de coger solera. Había corrido la voz, ésa era la verdad. La tarta de fresa de aquella pastelería tan afamada y tan cara, ya no era la de antes.

Los detectives no habían tenido más remedio que hacer llegar a Edgar Woolf el resultado de sus pacientes y sutiles investigaciones. Los clientes habituales de El Dulce Lobo probaban la tarta de fresa con cierta aprensión, con la cautela típica de quien previamente está poniendo en cuestión un resultado.

—Yo creo que hoy les ha salido algo mejor —decía una señora, entre sorbo y sorbo de té.

—Ya; pero no me digas, Barbara, ¡que en una casa como ésta tengamos que probar algo sin total garantía...! —replicaba la otra.

—Eso es verdad. Hay que saber a qué atenerse.

—Naturalmente querida. Lo menos que se puede exigir es que una tarta sepa igual todos los días, porque estamos en El Dulce Lobo, ¿no? Para tanto como eso, merienda una de pie en cualquier barra de Broadway.

Edgar Woolf, contra su costumbre, había empezado a salir de aquel barrio, a patearse todo Manhattan y a meterse de incógnito en diversas cafeterías del Village, de Lexinghton o de la Quinta Avenida. Se calaba hasta las surcejas un sombrero de fieltro, se ponía gafas oscuras y surcaba la ciudad de cabo a rabo a bordo de una de sus *limusines*. Peter, su chófer de más confianza, se veía obligado a aparcar en los sitios más inverosímiles, a medida que su jefe, con los ojos fijos en la ventanilla, descubría un lugar donde su intuición le avisaba de que tal vez pudiera hallar la dulce presa apetecida. A fuerza de probar modalidades diferentes de tarta de fresa, tenía ya el paladar estragado y era incapaz de distinguir unas de otras. Muchas noches, al volver a casa, estaba tan deprimido que le pedía a Peter que le dejara en Central Park, por donde se paseaba a solas y pensativo. Su aspecto, enmascarado por las gafas, y su paso agitado y nervioso más parecían los de un malhechor huyendo de la justicia que los de un magnate adinerado.

Había llegado a caer tan bajo como para poner anuncios en los mejores diarios de Manhattan, ofreciendo el oro y el moro a quien le consiguiese la receta auténtica, casera y tradicional de la tarta de fresa de toda la vida. Y le daba rabia que el jefe de publicidad tuviera que contestar a alguna de aquellas llamadas telefónicas diciendo: «Sí, sí, no se ha confundido, habla usted, en efecto, con el teléfono de El Dulce Lobo». Edgar Woolf se consideraba un frustrado.

—¡Pero qué frustrado ni qué niño muerto! —le reñía su amigo, harto de aguantar retahílas plañideras—. Ya tienes cincuenta años, por favor, Edgar. Disfruta de la vida y gástate el dinero que te has ganado honradamente. Haz un viaje, sal al cine, búscate una mujer que te quiera, qué sé yo...

—Sí, una mujer que me quiera, como si fuera tan fácil.

—Pues no sé por qué no. Estás en la mejor edad y, si te cuidaras un poco más, resultarías francamente interesante. ¿Has intentado enamorarte en serio?

—¿Y para qué, si todas me dejan?

—Desde luego, si llevas a una mujer a bailar y te pasas la noche hablándole de que la tarta de fresa te sale peor que la de chocolate, supongo que te dirá que se va al tocador a pintarse los labios, y no la volverás a ver. ¡Yo haría lo mismo!

—No hurgues en mis heridas, Greg. Sabes de sobra que jamás he conseguido que ninguna mujer se enamorara de mí.

—Claro, porque eres un pelma. Y las mujeres necesitan que les hagan caso, que se dediquen a ellas. ¿Cuándo has querido tú a ninguna, a ver? Yo digo enamorarte tú, ¡eso es lo que digo que te hace falta! Enamórate de una tía salada, que te sorba el seso, que te encienda las ganas de alegrarle la vida y con eso mismo te la alegre a ti. En una palabra, que te haga olvidar tanta cavilación sin sustancia. ¿Tú crees que es normal que yo tenga que aguantar todos los días el mismo rollo?

—¡Pues si tan pelma te parezco, súbete a tu piso y déjame en paz!

—¡Ojalá me dejaras en paz tú a mí!

Siempre acababan separándose enfadados, aunque el enfado les duraba poco.

Greg Monroe era de gustos sencillos, vestía siempre con un guardapolvo gris y su vida solía transcurrir en la planta cuarenta. Cuando no se encontraba ocupado con la revisión de la maquinaria, abría una puertecita de madera oscura con picaporte niquelado situada en la pared de la derecha, que conducía a su modesta vivienda particular. Una vez allí, se dedicaba a dibujar, a leer o a oír música, que eran sus tres pasiones favoritas. Otras veces venía a visitarle algún nieto.

Pero raramente podía disfrutar de aquellos ratos de descanso sin interrupciones. El dormitorio de Edgar Woolf ocupaba el mismo espacio que su apartamento y pillaba exactamente debajo de él. Y para mayor inri, a la vuelta de un reciente viaje a California por motivos familiares, Greg Monroe se había encontrado con que su jefe había mandado construir un curioso ascensor cilíndrico que comunicaba ambas piezas. Le molestó muchísimo que ni siquiera hubiera consultado con él para llevar a cabo tal invento, y más todavía ser tachado de ingrato y mal amigo.

—Yo que lo había hecho para darte una sorpresa —se quejaba Edgar—. Cría cuervos y te sacarán los ojos.

—No necesito de tus sorpresas, estoy harto de ellas y de ti. Ahora sí que ya no me vas a dejar vivir. Eres un egoísta.

—No soy un egoísta, Greg, es que estoy muy solo. No te tengo más que a ti. ¿Por qué me tratas tan duramente?

Acababa teniéndolo que consolar. Y agradeciendo que le hubiera proporcionado aquel ingenioso vehículo para poder desplazarse en cualquier momento del día o de la noche y atender así a la cuitas y alteraciones de humor del Rey de las Tartas.

Aquella tarde de diciembre, Edgar Woolf estaba particularmente nervioso. Se paseaba como un oso enjaulado por su enorme despacho, encendía un pitillo detrás de otro y no paraba de mirar el reloj.

Por fin, subió con paso decidido la escalera de caracol que comunicaba con su dormitorio. Era una estancia muy espaciosa, separada del gran cuarto de baño por una pared de mármol verde. El techo y las demás paredes eran de espejo, menos el trozo que cogía una puerta encristalada que daba acceso a la terraza. Abrió esta puerta y salió.

Sorteando los altos laureles y las estatuas que rodeaban la piscina, subió los tres escalones que llevaban a la alta barandilla circular. Allí abajo, la masa oscura de los árboles de Central Park formaban un inmenso rectángulo plagado de caminos sombríos y misteriosos. Cerró los ojos para no sentir vértigo, para ignorar la luz de las frutas gigantes que coronaban allí tan cerca, a sus espaldas, el friso de su propio anuncio luminoso, uno más entre todos los que festoneaban el bosque con sus resplandores. Se estremeció. Hacía mucho frío.

Le extrañaba aquella flojedad, como de convalecencia juvenil, aquel deseo de llorar en brazos de alguien.

Volvió a mirar el reloj. Eran las siete y media. Ya no. Estaba claro que miss Lunatic ya no venía. Y la echaba furiosamente de menos, como a un sueño evaporado, disparatado, absurdo.

Llevaba cerca de una hora esperando a aquella extraña y fascinante mujer que la tarde anterior se le había aparecido entre las frondas del parque. ¿De qué habían hablado? ¿Por dónde empezó la conversación? ¿Y cómo se las había arreglado ella para infundirle esa especie de fe olvidada en el amor, en la vida, en el azar?, ¿qué fue exactamente lo que le dijo?

Había sido incapaz de explicárselo a Greg Monroe. Ni siquiera se había atrevido a decirle cómo iba ella vestida, ni hablarle del carrito que arrastraba. Y sin embargo, era una experiencia tan rara, tan especial, que Greg se acababa de escapar al cine, para no seguir oyéndole hablar de aquella historia que había calificado de alucinación. ¿Es que tal vez lo era? ¿Tan loco se estaba volviendo por culpa de la tarta de fresa?

Miss Lunatic, cuando se despedía de alguien —especialmente si se trataba de personas que tenían pocos tratos con lo misterioso— solía dejar tras ella, como un rastro, la impresión ambigua característica de los espejismos.

Edgar Woolf sentía el dardo de su ausencia como una pena de amor romántica. Pero no podía ser. Nunca había esperado por nadie más de cinco minutos.

Ya no venía. Eran casi las ocho. Había telefoneado cinco veces a recepción. Y tenía apostados abajo a dos de sus detectives particulares. No. No había merodeado por las inmediaciones de El Dulce Lobo ninguna persona que respondiera a aquella descripción.

Necesitaba darse un paseo. Tal vez se la volviera a encontrar en el parque. Le acuciaba un ansia extrema pero mezclada al mismo tiempo de sosiego. No se sentía invitado a pasear por ningún motivo concreto. Y sin embargo, una fuerza muy viva le arrastraba hacia el parque, llamándole como hacia un centro de esperanza.

Entró en el dormitorio y se miró en el espejo. El fulgor de los anuncios luminosos se multiplicaba reflejado en todas las paredes de la lujosa habitación y arrancaba destellos rojizos de la cabellera de mister Woolf. Su figura le pareció misteriosa e interesante. Cogió el abrigo y el sombrero y se dirigió al pasadizo que llevaba a su rápido ascensor particular.

OCHO

Encuentro de miss Lunatic con Sara Allen

uando miss Lunatic se apeó en la estación de Columbus Circle, llevaba instalado en su cochecito a un niño de tierna edad, porque dentro del vagón se había dado cuenta de que su madre, una mujer joven y muy desmejorada, cargada de paquetes, apenas podía sujetar tanto bulto. Los acompañó hasta otro vagón donde tenían que hacer transbordo, y el niño se iba riendo muy contento con el bamboleo del cochecito, y se agarraba a los lados, intentando ponerse de pie. Luego no quería salirse de allí, y cuando miss Lunatic lo cogió en brazos para devolvérselo a su madre, se puso a lloriquear.

—Muchas gracias por todo, señora —dijo la madre—. Vamos, Ray, no llores... Parece que se quiere quedar con usted.

El niño, en efecto, se aferraba con todas sus fuerzas a un collar lleno de colgantes de diferentes formas y tamaños que le asomaba a miss Lunatic por entre múltiples bufandas desteñidas.

—No —dijo—, es que se ha encaprichado de esta campanilla. Te gusta como suena, ¿eh?... Espere.

Mientras la madre cogía al niño, que ahora lloraba desconsolado, y recuperaba alguno de sus bultos del cochecito, miss Lunatic se sacó unas tijeras pequeñas de la faltriquera y desprendió hábilmente de su collar una campanilla plateada, que destacaba por su tamaño entre los demás amuletos. Luego empezó a agitarla alegremente ante aquellas manitas infantiles que se apresuraron a agarrarla. Al llanto sucedieron como por encanto unos sonidos guturales de triunfo.

—¡Que no, por favor, no faltaba más! —protestó la madre—. ¡Dásela, Ray! Es de la señora... Gracias, señora, pero los niños no saben lo que quieren.

—En eso no estoy de acuerdo, ya ve. Yo creo, por el contrario, que son los únicos que saben lo que quieren —contestó miss Lunatic.

La mujer la miraba con curiosidad.

—Además, seguramente para usted sería un recuerdo.

—Sí, claro, pero el recuerdo lo voy a seguir teniendo igual. Ahí llega su vagón. Tome, que se deja un paquete. Adiós, guapo. Dame un beso.

Los vio meterse apretujados contra otras personas. Luego contempló sus rostros sonrientes, a través de las puertas correderas, plagadas de *grafitti*. Le gustaba saber que, entre aquel tropel de desconocidos, iba un niño llamado Ray que se llevaba un objeto suyo. Por detrás del cristal, la mujer, con gesto efusivo, pero atenta a que no se le cayeran los paquetes, estaba tratando de mover el brazo gordezuelo de Ray para que le dijera adiós a miss Lunatic, agitando la campanilla con sus deditos torpes. Pero se le acababa de caer al suelo, ¡vaya por Dios!, y su madre ahora se estaba agachando para recogerla. Miss Lunatic no pudo conocer el final de la historia, porque el vagón arrancó.

Se quedó mirándolo desaparecer engullido por el túnel, y luego echó a andar hacia la salida. Andaba encorvada, arrastrando los pies, presa de un súbito desaliento. ¿Adónde iría a parar con los años su campanilla?, ¿qué sería de Ray cuando creciera? Se puso a pensar en la transformación incesante de las personas y de las cosas, en las despedidas, en los fardos que va echando el tiempo implacablemente sobre las espaldas. Y sintió una especie de vértigo. «¡Qué vieja soy! —pensó— ¡Cómo me gustaría descargar mis fardos más secretos en alguien más joven, digno de heredarlos! ¿Pero en quién...? ¡Vaya!, se ve que la conversación con el Comisario me ha puesto sentimental. Pues no, no lo consientas.»

Notó, porque se lo avisaba una voz interior, que necesitaba ponerse en guardia. No quería darle coba a aquella desgana de vivir, se resistía a dejarse resbalar por la pendiente de las ideas negras. «Si caes al pozo, estás perdida —le dijo aquella voz interior—. Porque una vez allí, ya no ves nada, lo sabes de siempre.» Sí, lo sabía. Y también que no ver nada, era dejar de vivir. Había una fórmula que no le solía fallar: lograr que la cabeza tomara el control de la situación y le mandara al cuerpo enderezarse, no andar encogido. Y a los ojos enfocar bien la mirada.

Estaba en uno de los anchos pasillos subterráneos que conducen a la salida. La verdad es que le apetecía poco entrevistarse con el Rey de las Tartas. Pero bueno, lo decidiría en la calle. Lo que tenía que hacer, de momento, era pisar más fuerte. Y enterarse de por dónde iba.

Rectificó, pues, el paso, irguió la cabeza, y en ese mismo momento sus ojos se tropezaron con una escena que ahuyentó inmediatamente sus pesadumbres para obligarla a fijarse en las ajenas.

Entre el atropellado ir y venir de los viajeros que se adelantaban unos a otros, se empujaban y se cruzaban sin mirarse, una niña, totalmente ignorada por ellos, lloraba silenciosamente con los ojos bajos y la espalda apoyada en la pared del paso subterráneo. Podría tener unos diez años. Llevaba un impermeable encarnado con capucha, y al brazo, enganchada por el asa, una cesta de mimbre cubierta por una servilleta a cuadros.

Miss Lunatic se detuvo a mirarla y en seguida comprendió por qué le había emocionado tanto aquella inesperada visión. Le recordaba muchísimo a la Caperucita Roja dibujada en una edición de cuentos de Perrault que ella le había regalado a su hijo, cuando era pequeño.

Se acercó a ella, abriéndose paso por entre la oleada de gente que las separaba. La niña, al ver los viejos zapatos de miss Lunatic parados allí en el suelo junto a los suyos, levantó los ojos, que tenía, efectivamente, llenos de lágrimas. Y la miró. Pero sin acusar extrañeza ni miedo al descubrir ante sí una figura tan extravagante. Al contrario, sus ojos parecieron revivir con un fulgor de alivio y confianza. Y miss Lunatic, que ya hacía mucho que no había visto una mirada tan transparente y candorosa, sintió como si su viejo corazón se calentara ante las llamas de una inesperada hoguera.

—¿Qué te pasa, guapa? ¿Te has perdido? —le preguntó dulcemente.

La niña negó con la cabeza. Luego sacó un pañuelo del bolsillo del impermeable y se puso a sonarse y a secarse las lágrimas.

—No. Porque esta estación es la que queda más cerca de Central Park, ¿verdad?

—Sí. ¿Entras al metro o sales de él?

—Salgo... Mejor dicho, ... había pensado salir —rectificó con voz mohína.

—Pues yo también. Así que si quieres te acompaño.

—Gracias. No hace falta que se moleste. Tengo un plano.

—¡Ah, tienes un plano! Entonces, ¿por qué lloras? —insistió miss Lunatic, al darse cuenta de que la niña volvía a hacer pucheros.

—Es muy largo de contar —contestó ella, con un hilo de voz y bajando nuevamente los ojos—. Muy largo.

—Bueno, eso no importa. Lo que vale la pena siempre es largo de contar. Pero me gustaría saber si tú tienes ganas de contarlo o no. Eso es lo único importante.

La niña la miró extasiada. Y las chispas repentinas de entusiasmo que miss Lunatic descubrió en el fondo de sus ojos llorosos, le hiceron pensar en el sol cuando está a punto de romper las nubes de tormenta. De un momento a otro se iba a ver dibujado el arco iris.

—¿Ganas? ¡Oh, sí, muchísimas! —exclamó la niña—. ¿Pero a quién se lo puedo contar?

—A mí, por ejemplo.

—¿De verdad?

—Claro. ¿Tan raro te parece? Por cierto, ¿eres de aquí?

—De Manhattan no. Vivo en Brooklyn. Y ahora voy hacia el norte, a Morningside, a casa de mi abuela. Mejor dicho, iba... Me he parado aquí porque... Bueno, es que nunca había salido sola... Quería ver Central Park... Pero, de pronto..., no sé, me han entrado remordimientos.

—Por favor, hija, remordimientos. ¡Qué palabra tan fea!

Y diciendo esto, miss Lunatic la cogió por los hombros con decisión.

—Anda, vamos afuera —dijo con acento sereno y persuasivo—. Aquí nos están empujando. Conozco un café muy agradable cerca del Lincoln Center, donde podremos hablar a gusto. ¿Quieres poner esa cesta que llevas dentro del cochecito?

—Bueno —dijo la niña, entregándosela a miss Lunatic.

—Pues andando, dame la mano.

No volvieron a hablar hasta que salieron a la superficie. Soplaba un viento muy frío. A sus espaldas quedaba una plaza con la estatua de Colón en medio. Y más allá, la verja de un jardín muy grande. La niña, aunque sin soltarse de la mano de miss Lunatic, se iba parando a cada momento. Consultó una brújula que había sacado del bolsillo y respiró hondo. Miraba en todas direcciones con avidez, como si no estuviera dispuesta a perderse detalle de nada. Los escaparates de las tiendas y los bares brillaban como joyas. Pasó un gran camión amarillo con un equipo de músicos de jazz que iban haciendo sonar ruidosamente sus instrumentos. Tocaban unas variaciones del *Let it be*. Pero cuando se quería una dar cuenta, ya habían desaparecido y no era seguro que se hubieran visto de verdad.

Enfrente había un cine ante el cual se aglomeraba mucha gente bien vestida. Llegó despacito un automóvil negro, alargado y silencioso que tenía tres puertas y cortinillas de gasa en las ventanas. Salió un chófer mulato vestido de gris con galones dorados y le abrió la portezuela a alguien que venía dentro. Apareció una larga pierna de mujer rematada por un zapato de cristal primoroso.

—¿Será la Cenicienta? —preguntó la niña.

—No —dijo miss Lunatic—. Creo que se llama Katleen Turner. Pero como Gloria Swanson, nada. Que no se pongan ni para arriba ni para abajo.

—¿Vamos a verla? —preguntó la niña, tirando de su acompañante en aquella dirección.

Miss Lunatic no contestó, pero se dejó arrastrar.

—Eres muy buena —dijo la niña—. Cuando voy con mi madre, no me deja mirar nada.

Una nube de fotógrafos estaba pendiente de la llegada de aquella mujer que acababa de salir del coche negro. Iba vestida con un traje de plata, y la acompañaba un hombre rubio y alto vestido de pingüino. Pero había tanta gente que no se veía bien.

—¡Qué raro ese coche!, ¿verdad? —dijo la niña.

—Es donde suelen ir metidos los millonarios. Se ven bastantes por Manhattan. Se llaman *limusines*, y llevan teléfono, bar, televisión, en fin, hija, de todo. Vámonos de aquí, anda, si no te importa, que luego me sacan en alguna foto y se creen que vengo a estos sitios para presumir.

La niña la miró.

—¿Tú has sido artista? Mi abuela ha sido artista.

—Yo no —dijo miss Lunatic—. Pero sí he sido musa de un artista.

—No sé bien lo que es musa —dijo la niña—. ¿No son unas que llevan alas?

Miss Lunatic se sonrió y oprimió con cariño la manita que se entregaba confiada a la suya.

—Puede que algunas tengamos alas, sí. Pero mi caso, de todas maneras, es especial, y desde luego largo de contar. Vamos a cruzar en esa dirección, anda, que esta gente se ha creído que la calle es suya.

A la luz de las farolas, el aire se racheaba de minúsculos copos de nieve. La niña levantó los ojos hacia el cielo, hacia los remates de los altísimos edificios coronados por jardines frondosos, balaustradas y estatuas, surcados de anuncios luminosos que se sucedían sin cesar: letras y dibujos persiguiéndose de forma vertiginosa, enredándose unos con otros, desapareciendo o alternándose en un derroche de fantasía. La niña se soltó de la mano de miss Lunatic y dio un brinco con los brazos tendidos hacia el cielo.

—¡Oh, soy libre! —exclamaba—. ¡Libre, libre, libre!

Y las lágrimas volvieron a correr por sus mejillas sonrojadas de frío.

—Vamos, hija, no llores otra vez —le dijo miss Lunatic—. A ver si me has salido una amiga de merengue.

—De merengue no, pero amiga sí. Muy amiga. Ahora no lloraba de pena, era de emoción. Es que nunca... Es que desde que era pequeña... No sé, sentirse libre se siente por dentro y no se puede decir. ¿Lo entiende?

—Un poco sí —dijo miss Lunatic—. Pero no te pares tanto, anda, que sopla un viento muy frío. En seguida nos sentamos en ese café que te digo y me cuentas todo lo que quieras.

—¿Todo lo que quiera? —preguntó la niña, incrédula—. Eso es mucho. Y usted tendrá prisa. Otras cosas que hacer.

Miss Lunatic se echó a reír.

—¿Yo prisa? No. Y aunque la tuviera. Nunca he encontrado un quehacer más importante que el de escuchar historias.

—¡Qué casualidad! —dijo la niña—. A mí me pasa igual.

—Pues entonces tendremos que pedirnos el turno. Se ve que las dos hemos tenido suerte.

—¿Quiere decir que también usted me va a contar cosas? Yo quiero que me explique eso de la musa que ha dicho.

Hubo un golpe de viento muy fuerte y se llevó el sombrero de miss Lunatic, haciendo remolinos calle abajo.

La niña salió corriendo detrás de él y logró rescatarlo junto a una alcantarilla. Un taxi estuvo a punto de atropellarla y el taxista, muy enfadado, sacó la cabeza por la ventanilla diciendo unos insultos que no se entendían. Al devolverle el sombrero a miss Lunatic, le extrañó que ella no la riñese, como habría hecho cualquier persona mayor en un caso semejante. La estaba esperando impasible, al borde de la acera. Parecía más vieja sin sombrero, pero al mismo tiempo también más joven. Una cosa bastante rara. ¿Serían así las musas? De pronto a la niña le pareció aquél el rostro de una mujer cansada y triste.

—Gracias, hija. ¡Qué pies tan ligeros tienes! —dijo, mientras se volvía a poner el sombrero y se lo sujetaba fuertemente con ayuda de una de las bufandas que se había quitado del cuello—. Por cierto, ¿cómo te llamas?

—Sara Allen. ¿Y usted?

—Puedes llamarme miss Lunatic, de momento.

—¿Entonces me va a contar lo de la musa?

—Podría ser. Pero mira, no me gusta planear las conversaciones de antemano. Lo que vaya saliendo. Aquello que ves allí es el New York Theater Center. Dan conciertos y espectáculos de ballet. Tenemos que pasar por delante para ir al café que te digo. Vamos, Sara, hija, anda más ligera, que vas a paso de tortuga.

—Es que es todo tan bonito.

—Bueno sí, pero a ver si acompasamos la marcha, un-dos-un-dos...

Y, apretando el paso, mientras empuñaban el manillar del cochecito cada una por un lado, dejaron atrás la estatua de Dante Alighieri, situada en un triangulito delante del Teatro Central aquél, que tenía muchas banderas moviéndose al viento al final de una escalinata enorme.

Miss Lunatic había vuelto a tararear el viejo himno
alsaciano que inició a la salida de la comisaría.
Y Sara, deslumbrada, la miraba de reojo
mientras esperaban que el semáforo
se pusiera verde para
cruzar.

NUEVE

Madame Bartholdi. Un rodaje de cine fallido

as camareras de aquel bar llevaban lacitos en el pelo y circulaban de una mesa a otra en patines. A pesar de lo cual, mantenían la bandeja con sus vasos, botellas y copas de helado en equilibrio estable. Era una destreza digna de admiración la suya, si se tiene en cuenta que los rinconcitos del local estaban instalados a alturas diferentes. Las camareras saltaban ágilmente los escalones que separaban unos niveles de otros, como si no llevaran en los pies el impedimento de las ruedas. Sin caerse ellas ni tirar la bandeja, que parecía pegada a su mano, frenaban los patines mediante una leve torsión del tobillo, y en seguida recuperaban el impulso necesario para deslizarse otra vez sobre las baldosas blancas y negras, camino de la barra o de las mesas, iluminadas con velas rojas al amparo de una campanita de cristal.

Aquella tarde se estaba rodando allí una película, y había una aglomeración exagerada de público. A la puerta, entre un grupo de curiosos, y junto a un furgón plateado del que salían varios manojos de cables negros, estaba parado un hombre joven. Llevaba gorra de visera a cuadros. Miró con curiosidad a la anciana de la pamela y a la niña de rojo que pretendían entrar en el local con aquel extraño carricoche.

—¿Vienen ustedes de extras para el rodaje? —les preguntó.

No le contestaron nada de momento. Pero vio que se miraban y que se ponían a cuchichear una con otra.

—¿Cómo dices? —preguntó la anciana, curvándose a través del cochecito.

—¡Yo quiero entrar, por favor, miss Lunatic! ¡Yo quiero entrar! —dijo la niña, empinándose para llegar al oído de su compañera—. ¡Hay patinadoras! ¿No lo ve por el escaparate? ¡Es precioso! Yo quiero entrar.

—Mira, Sara —le contestó la anciana en voz baja—, cuando se desea mucho una cosa, no hay que decirlo tanto. Disimula.

—Pero ese chico ha dicho...

—¿Y qué nos importa lo que diga el chico? Lo han puesto ahí para que se crea que manda, pero no manda nada. ¿A ti te hace ilusión entrar, no?

—¡Oh, sí, muchísima! ¿A usted no?

—A mí me parece que no vamos a poder hablar a gusto con tanto jaleo —dijo miss Lunatic con gesto displicente—. Pero eso es lo de menos. Con tal de que a ti se te pasen las penas.

La niña, que no paraba de echar miradas ávidas hacia el interior, levantó hacia miss Lunatic unos ojos cargados de extrañeza.

—¿Qué penas? —preguntó.

—A veces las preguntas, hija mía, contienen la respuesta más exacta —contestó la anciana sonriendo—. Por lo tanto, no hay problema. Simplemente no olvides lo que te he dicho: disimula.

Y dirigiéndose al chico de la gorra visera, que las observaba perplejo, hizo un gesto teatral con la mano, como intentando apartar de su camino un impedimento casual y fastidioso.

—Mire usted, jovencito, nosotras de extras, nada. Nosotras somos las protagonistas principales.

—¿Qué quiere usted decir? —preguntó él boquiabierto.

—Quiero decir exactamente lo que he dicho: que sin ella y yo, no hay argumento, no hay historia, ¿entiende? Nos la venimos a contar aquí, la historia. Se supone que el decorado estará listo y que no nos entretendrán con minucias tan fatigosas como innecesarias. Vamos, Sara, pasa.

—Pero espere un momento, señora —dijo el chico, confuso—. Le ruego que me enseñe su carnet.

—¿El carnet? ¿Qué carnet?... Por favor, no me ofenda. Exijo una explicación. Yo soy madame Bartholdi. ¿Usted cómo se llama?

—Norman, señora.

—¿Norman...? No lo conozco. Debe haber un error aquí.

—Puede ser... —dijo el chico, a aquellas alturas ya completamente desconcertado—. En tal caso, perdone. Pero si no le importa, voy a consultar con el director.

—Haga lo que mejor le parezca. La ignorancia es muy atrevida. Vamos, Sara.

Norman, que había sacado del bolsillo un *walky-talky* negro pequeñito, y trataba de establecer infructuosamente comunicación con un tal mister Clinton, echó una última mirada a las extrañas visitantes, suspiró, miró su reloj de pulsera y se metió en el local apresuradamente, mientras murmuraba:

—Se está haciendo tarde.

Ellas le siguieron.

«Parece el conejo blanco de Alicia», se dijo Sara para sus adentros.

Norman no se daba cuenta de que él mismo iba abriéndoles paso entre el gentío. Andaba a toda prisa, sin mirar para atrás, como buscando a alguien.

—¡Qué divertido! —dijo Sara—. Nos ha dicho que no entremos, y nosotras hemos entrado.

—Claro. Nunca hay que hacer caso de las prohibiciones —dijo miss Lunatic—. No suelen tener fundamento. Tú anda con naturalidad. Así, hablando conmigo. Y atenta al coche.

—¡Están rodando una película! —dijo la niña absolutamente maravillada—. ¡Mire esos raíles, y el silloncito con el señor que va montado encima…! Parece un muñeco, ¿verdad?

—Sí, hija, talmente; pero cuidado con esos cables. ¡Dios mío la que arma esta gente para nada! Mira, allí arriba parece que hay una mesita libre. Vamos.

Norman, a todas estas, había llegado al final de los

raíles, junto al sillón metálico donde iba montado aquel señor que a Sara le había parecido un muñeco. Era un hombre muy flaco, con gafas y el pelo gris ensortijado. Le había dado a una manivela, y su asiento había descendido. Se inclinó para escuchar las explicaciones del chico de la gorra a cuadros y miró hacia la derecha del local.

—¡Nos está señalando con el dedo el chico de la puerta! —le comunicó Sara a miss Lunatic, presa de excitación—. ¿Le parece que nos escondamos en algún sitio?

—¿Escondernos? ¡Ni hablar! Siéntate ahí.

—¿Y usted no se sienta?

—Sí. Estaba mirando por si veo a una camarera que yo conozco, pero hay tanto jaleo hoy que sabe Dios dónde andará... Es que éste no era el sitio adonde yo te pensaba traer.

—¿Ah, no?

—No. Este local es muy caro.

—¡No importa! ¡Yo tengo dinero! —replicó la niña vivamente, palpándose la bolsita de raso que traía metida por dentro de la camiseta—. Yo la invito a lo que quiera... ¿Se ha dado cuenta? Nos siguen mirando aquéllos.

—Tú no hagas ni caso. Si se atreven a molestarnos, les pesará.

—¡Pero es maravilloso, Norman! —le estaba diciendo el hombre del pelo gris con rizos al chico de la gorra visera—. ¿De dónde las has sacado? ¡Justo lo que yo buscaba, lo que hacía falta para darle contraste al ambiente, el toque exótico...! ¡Madre mía, cómo son! Y la niña con ese vestido de punto tan *kitsch*, y ese impermeable...

A Norman se le iluminaron los ojos, y aprovechó la ocasión para hacer méritos ante su jefe.

—Las vi pasar —mintió—, y se me ocurrió que tal vez pudieran interesarle. Cuestión de olfato. Celebro haber acertado.

—Un acierto genial, querido Norman. Genial. ¡Pero míralas! Y luego los collares que lleva la vieja entre esas bufandas, y el cochecito, por favor... ¡Si parecen inventadas por Fellini...! Que las siga la cámara disimuladamente, fingiendo que es una panorámica, y que Charlie procure captar fragmentos de lo que digan... Luego, en el montaje, ya veremos lo que se puede aprovechar... Pero sobre todo, díselo a Waldman, sin exageración de focos. Que nadie las intimide. Que se sientan relajadas, y hablen con toda naturalidad.

—Bueno —dijo Norman—, por ese lado puede estar usted tranquilo, mister Clinton. De encogidas ni un pelo. Especialmente la señora mayor. ¡Qué empaque tiene la tía! Habla como una marquesa.

—Está bien. Mejor si es una marquesa. Y por supuesto, que les sirvan lo que quieran. Es una maravilla; me van a resolver varios tramos que en el guión quedaban muy muertos, sosos... En fin, no perdamos más tiempo. Vamos a repetir la entrada del policía.

Norman volvió a desplazarse hacia la puerta y se detuvo junto a la barra para hablar con el ayudante de rodaje, un barbitas con chaleco vaquero y camisa de franela.

—¿Qué es esa madera negra con un número pintado

en blanco que lleva el señor de la barba? —le preguntó Sara a miss Lunatic.

—La claqueta. ¿Ves?, ahora la tiene abierta. En cuanto la cierre, quiere decir que empiezan a rodar.

—¿Cómo sabe usted tantas cosas?

—Hija, de tanto rodar también yo, pero por el mundo. Los viejos o nos ponemos al día o no nos respeta nadie. Yo creo que el cochecito ahí no estorba el paso.

Llegaba en aquel momento una camarera con los patines puestos. Se acercó muy sonriente a la mesa.

—¿Es la que usted conoce? —preguntó Sara.

—No. Pero parece que viene en buen plan.

—¡Qué bien patina! —dijo Sara mirándola con envidia—. Y me encanta la falda que lleva, tan cortita.

La camarera hizo varias evoluciones en torno a la mesa sin dejar de sonreír.

—¿Qué van a tomar ustedes? Están invitadas por mister Clinton.

Miss Lunatic miró en la dirección que le señalaba la camarera y notó que el director del pelo gris y rizado la saludaba con un leve gesto de la cabeza.

—Mira qué suerte —le dijo a la niña en voz baja—. Parece que le hemos caído bien al muñeco.

—Yo quiero un batido de chocolate —dijo Sara.

—¿Doble o sencillo?

—Tráigaselo doble —dijo miss Lunatic—. Si sobra, lo dejas. Y a mí un cóctel de champán.

En aquel momento, el barbitas del chaleco vaquero se adelantaba con la claqueta abierta.

—¡Silencio! ¡Preparados! ¡Secuencia cuatro! ¡¡Acción!!
Y se oyó el golpe seco de la claqueta al cerrarse.

El reloj del local marcaba las ocho menos cuarto, en la calle el conato de nieve había cesado, y miss Lunatic llevaba mediado su segundo cóctel de champán.

Frente a ella, su compañera, con los ojos bajos, jugueteaba con la servilleta, en la que se advertían manchas de chocolate, se había quitado el impermeable y lo tenía colgado en el respaldo de la silla. Pero el traje de punto también era rojo. Igual que sus mejillas sofocadas. En los labios de miss Lunatic bailaba una sonrisa placentera que iluminaba su rostro, rejuveneciéndolo. Ambas estaban totalmente ajenas a la cámara que las enfocaba. Saboreaban el silencio que sucede a las confidencias.

—Anda, sigue, bonita —dijo miss Lunatic, tras una larga pausa.

—Bueno, no hay mucho más que contar —dijo Sara—. El resto ya se lo puede imaginar usted. Esta tarde, aprovechando una ausencia de la señora Taylor, he bajado a casa, he cogido la tarta y me he escapado. Ha sido una fuerza superior a mí. Llevaba años soñando con montarme yo sola en el metro para ir a Morningside a ver a la abuela... Lo que pasa es que al llegar a la estación de Columbus, me entró la tentación de salir un ratito a ver Central Park, y no pude resistirme a ella... Hasta ese momento, todo iba más o menos bien. Pero de pronto, cuando me encontré andando sola camino de la salida entre tanta gente que no conocía, en vez de gozar de lo bonito que es eso, sentirse libre, me fallaron las fuerzas y no sé lo que me pasó, me desinflé... Fue cuando usted se me apareció allí.

—Hablas como si hubieras visto a un santo —dijo miss Lunatic, visiblemente emocionada, mientras daba otro sorbo a su cóctel.

—¡Claro! —exclamó Sara muy excitada—. Es que es eso, eso exactamente fue lo que sentí: que una aparición sobrenatural había bajado en mi ayuda. No sé si será porque leo muchos cuentos... Me encontraba muy mal, a punto de desmayarme, me había entrado un miedo que no me dejaba ni respirar, no sé a qué..., un miedo rarísimo, pero muy fuerte... Ahora que lo pienso, no lo entiendo...

Había alzado sus ojos claros e interrogantes, y la mirada oscura de la mujer que tenía enfrente era tan intensa, tan enigmática, que la niña se asustó, como si se estuviera asomando a un abismo. Pero no quería que se le notara.

—¿No sería miedo a la Libertad? —preguntó miss Lunatic solemnemente.

Y al hacer esta pregunta levantó el brazo derecho y lo mantuvo unos instantes en alto, como si sujetara una antorcha imaginaria. Sara experimentó una leve inquietud al reconocer el gesto de la estatua. Miss Lunatic lo había imitado muy bien.

—Pues sí, seguramente sería eso —dijo tratando de que su voz sonara despreocupada.

Pero notó que el corazón le latía muy fuerte.

Hubo un silencio. Volvieron a bajar al mismo tiempo la mujer el brazo y la niña los ojos. Encima de la mesita estaba abierto el plano que un día el señor Aurelio le regaló a Sara. Ella le había estado hablando de aquel personaje a su nueva amiga, y contándole cómo este viejo plano había dado pie a sus fantasías nocturnas, a sus viajes imaginarios por Manhattan, a sus sueños de libertad. Ahora uno de sus dedos, partiendo de Central Park, se puso a seguir un itinerario caprichoso sobre el papel y, después de trazar varios círculos, vino a detenerse en la islita del sur, donde se veía dibujada en pequeño la estatua de metal verdoso con su corona de pinchos y su antorcha en la mano. De pronto, la mano de la mujer que estaba sentada enfrente avanzó despacio a través de la mesa y vino a posarse sobre la de la niña, como si quisiera abrigarla de peligros reales o imaginarios.

—¿Y ahora ya no me tienes miedo, Sara Allen? —preguntó con una voz distinta, completamente distinta.

Sara movió negativamente la cabeza, y notó que la presión de aquella mano sobre la suya se acentuaba. Le dio un brinco el corazón. La mano de miss Lunatic no tenía arrugas como antes, era más blanca y alargada y el tacto de su palma se notaba muy suave.

—Pero no me miras —oyó decir a aquella voz distinta, lánguida y musical—. Y tienes los dedos muy fríos, *ma chérie* ... ¿En qué estás pensando?

—No me atrevo a decirlo —susurró Sara.

—¡Dilo! —le ordenó la voz.

La niña tragó saliva. Miraba fijamente la estatua minúscula marcada al sur del plano con una estrella de oro.

—Bueno, pues... me estoy dando cuenta de que antes dijo usted..., bueno dijiste... que habías sido la musa de un artista... y luego al chico de la puerta que te llamas madame Bartholdi..., sí, lo dijiste, me acuerdo bien... Yo ayer a estas horas estaba leyendo un libro que se titula *Construir la Libertad*... Y de repente...

Se detuvo. Sentía la lengua seca, pegada al paladar.

—¡Sigue! —pidió ansiosa aquella voz—. Por favor te lo pido.

—Pues eso, que de repente creo que lo he entendido todo —siguió Sara con un hilo de voz—. ¡Sí, lo he entendido todo! No sé cómo..., como se entienden los milagros. Porque eso es lo que pasa..., que tú, madame Bartholdi..., ¡tú eres un milagro!

La otra mano, igualmente blanca y suave, descendió y se introdujo por debajo de la de Sara, que quedó así aprisionada, como un pájaro palpitante, entre las dos de aquella mujer. La niña percibió un leve perfume a jazmín. No tenía ganas de escapar, pero el corazón le latía cada vez más deprisa, a un ritmo casi insoportable. Se abandonó a aquellas manos que ahora subían la suya lentamente hacia unos labios invisibles.

—Dios te bendiga, Sara Allen, por haberme reconocido —dijo madame Bartholdi, mientras depositaba un beso en la manita fría de la niña—; por haber sido capaz de ver lo que otros nunca ven, lo que nadie hasta hoy había visto. No tiembles, no vuelvas a tener miedo jamás.

Mírame a la cara, por favor. Llevo más de un siglo esperando este instante.

Sara levantó la vista del plano arrugado de Manhattan y de la servilleta con manchas de chocolate, y durante unos segundos vio ante sus ojos, rodeado de un fogonazo resplandeciente, el rostro inconfundible de la estatua que había saludado de lejos a millones de emigrantes solitarios, avivando sus sueños y esperanzas. Pero ahora no la tenía lejos, sino al lado, sonreía y le estaba besando a ella la mano.

Sara cerró los ojos, cegada por aquella visión, y cuando volvió a abrirlos, miss Lunatic había recuperado su aspecto habitual. Además se había puesto de pie y estaba insultando a alguien. Sara sintió mucho calor cerca de su espalda. No entendía nada. Luego notó que se apagaban unos focos muy potentes que las habían estado iluminando.

—¿Pero se pueden ir todos ustedes al diablo y dejarnos en paz? Vamos, Sara, salgamos de aquí. Nos tienen cercadas... Los he visto, los vengo viendo avanzar cautelosamente desde hace un rato con sus cacharros..., sí, a usted también, a ver si se cree que por ser vieja soy tonta, a usted se lo digo sobre todo, mister Clinton. ¡La intimidad de miss Lunatic no se compra con dos cócteles de champán y un batido de chocolate! Coge el cochecito, hija...

Sara, que, obedeciendo a un impulso espontáneo de

solidaridad con su amiga, se había puesto de pie, miró aturdida a su alrededor. Casi junto a su mesa, montado en su silletín alzado sobre unos raíles, el hombre-muñeco de pelo rizoso, se inclinaba hacia miss Lunatic balbuceando torpes excusas.

—Por favor, señora, no se enfade... Hay un malentendido... Les pensamos pagar su trabajo... ¡Muy bien, además...! Si quiere —añadió bajando un poco la voz— podemos establecer ahora mismo las condiciones económicas... Pero no se vaya, se lo ruego.

—¡Claro que me voy! ¡Ahora mismo!, ¿usted quién es para disponer de mí, ni de qué condiciones me está hablando? ¡Poner precio a la Libertad, es el colmo! ¿Dónde se ha visto despropósito semejante?

Todos los ocupantes del local estaban mirando en aquella dirección, pero Sara comprobaba con sorpresa que no le daba vergüenza ninguna. De repente se le pasó por la memoria, como en un relámpago furtivo, aquel miedo a llamar la antención que sentía a veces cuando volvían de Morningside en el metro de visitar a la abuela y su madre se ponía a lloriquear. Le pareció una escena absurda, lejanísima, algo irreal en comparación con la aventura que estaba viviendo ahora. No le daba vergüenza ninguna que las mirara la gente, qué va, todo lo contrario. Estaba orgullosa de conocer el secreto de miss Lunatic y de ser su amiga incondicional: porque además tenía razón. ¿Quiénes eran ellos para meterse en una conversación privada? No sólo pensaba apoyar a su amiga y seguirla en todo, sino que además le divertía muchísimo lo que estaba pasando y ver tan desmoralizado al muñeco. De vergüenza, nada. Se puso el impermeable y cogió el carricoche. En torno al director se habían congregado todos sus ayudantes.

—¡Por favor, señora, no se vaya! —repetía implorante mister Clinton desde lo alto de su asiento—. ¡Habla tú con ella, Norman! ¿No decías que había aceptado tu trato? ¡Ofrécele mil dólares! ¡Dos mil!

Norman, avergonzado y obsequioso, dio unos pasos hacia la anciana señora.

—¡Yo no he tratado con este joven para nada, ni pienso tratar! —aseguró desdeñosa miss Lunatic, mientras lo apartaba de su camino—. ¡Abran paso, se nos ha hecho tarde, tenemos que salir!

Y, dirigiéndose a la camarera, que había acudido velozmente sobre sus patines atraída por el escándalo, dijo en voz alta y firme:

—La nota, señorita, por favor.

—Están ustedes invitadas —contestó ella, sonriendo forzadamente.

—¡Nada de eso! Díganos inmediatamente qué le debemos.

Cruzó una mirada de inteligencia con Sara, que ésta recogió al vuelo.

—¿No me ibas a invitar tú, hija mía?

Y la niña, feliz como jamás había soñado sentirse, se metió la mano en el escote, sacó una bolsita de raso con lentejuelas y le aflojó los cordones.

—Por supuesto, madame —dijo.

Y luego, mirando con naturalidad a la camarera, le preguntó:

—¿Qué se debe, por favor, de dos cócteles de champán y un batido grande de chocolate?

—Cincuenta dólares, señorita —contestó la patinadora, balbuceante y perpleja.

Y Sara, mientras los contaba y los dejaba caer displicente sobre la mesa, agradeció muchísimo que miss Lunatic no se metiera a ayudarla en aquel recuento. Por una parte le extrañaba, pero por otra le daba una sensación embriagadora de confianza en sí misma. Simplemente la oyó comentar, mientras se estaba ajustando la pamela:

—¡Qué exageración! ¡No se te ocurra dejar ni un centavo de propina!

—No se me había ocurrido —contestó Sara, guardando los veinticinco dólares restantes y volviéndose a meter la bolsa por dentro del jersey.

Luego arrastrando entre las dos el cochecito, y sin atender a más razones, alcanzaron la puerta y salieron del local. La gente se iba apartando a su paso, como cuando llegaron, pero ahora en religioso silencio.

A los pocos instantes de su desaparición, aquel silencio, alterado apenas por unos leves murmullos, fue estrepitosamente roto por la voz de mister Clinton, entre furiosa e histérica:

—¡¡Que las siga alguien!! ¡¡Que las traigan!! —gritó sin dirigirse a nadie en particular—. ¡No podemos perdernos una cosa así!

Crecieron los murmullos. Pero nadie se movía.

—¡No me digáis que no ha quedado grabada la última escena...! Digo cuando la niña saca la bolsita de lentejuelas del escote. ¡No lo podría soportar...! ¡Por favor, Waldman, contesta! —bramó mister Clinton—. ¿Ha salido algo de eso?

—No, señor. Siento tenérselo que decir —contestó el barbitas de la claqueta con voz atemorizada—. Ya sabe que estábamos en una pausa del rodaje.

Al señor Clinton le sobrevino un auténtico ataque de nervios. Parecía más que nunca un muñeco mecánico con los tornillos flojos. Pataleaba, se mesaba la ensortijada pelambrera gris, se tapaba con las manos el rostro desencajado y repetía llorando:

—¡Eres un imbécil, Norman! ¡Un completo imbécil! Has arruinado para siempre mi carrera. ¡Vete por ellas! ¿Me has oído? Y tráemelas inmediatamente, aunque sea a rastras.

—Se dice fácil, señor —musitó Norman.

—Claro, te resulta más fácil meterme mentiras. ¡Vete a buscarlas o date por despedido!

Norman salió corriendo a la puerta. Miró
en todas direcciones. Sara Allen
y madame Bartholdi habían
desaparecido.

DIEZ

Un pacto de sangre. Datos sobre el plano para llegar a la Isla de la Libertad

levaban un rato andando en silencio, con el cochecito entre las dos. Acababan de cruzar un semáforo y ahora iban por una acera peor iluminada, bordeando la alta verja de hierro que rodea la parte oeste de Central Park. Al otro lado, se veían edificios sólidos y lujosos, porteros uniformados al final de un corto tramo de escalera y una especie de palio rígido desde la marquesina hasta el límite de la calzada, surcada por taxis amarillos y silenciosas *limusines*. Se habían amortiguado los ruidos estridentes de las avenidas más céntricas, se respiraba mejor y era grato aquel frío que se colaba del bosque en penumbra por entre los hierros de la verja. Había cesado el viento y no nevaba.

Sara se detuvo junto a un farol iluminado.

—Oye, madame Bartholdi.

—Dime, preciosa.

—¿De verdad estás segura de que los hombres esos del cine no te vieron convertirte en estatua?

Miss Lunatic sonrió.

—Completamente segura. Hay cosas que sólo pueden ver los que tienen, como tú, los ojos limpios.

—O sea que tu vives dentro de la estatua.

—Por el día sí. Envejezco allí dentro para insuflarle vida a ella, para que pueda seguir siendo la antorcha que ilumine el camino de muchos, una diosa joven y sin arrugas.

—¿Como si fueras su espíritu? —preguntó Sara.

—Exactamente, es que soy su espíritu. Pero me aburro muchísimo. Estoy deseando que se haga de noche para salir a trotar por Manhattan. En cuanto dejan de llegar turistas, le enciendo las luces de la corona y de la antorcha y, bueno, atiendo a mil detalles rutinarios que llevan bastante tiempo. Luego me aseguro de que está dormida y se acabó; me largo yo aquí por mi cuenta.

—¿Como si te despegaras de ella?

—Pues sí, más o menos. Está bien dicho. ¿Sabes que eres muy lista?

—Eso dice mi abuela, y también que salgo a ella. Ojalá. Mi abuela sí que es lista. En algunas cosas se me parece a ti.

Habían reemprendido la marcha. Sara, que iba pegada a la verja, miraba de reojo las frondas oscurecidas de Central Park, que ejercían sobre su imaginación un influjo hipnotizante.

—Por cierto —dijo miss Lunatic—. No estará preocupada tu abuela.

—No. Ya te he dicho que la llamé por teléfono antes de salir y sabe que iba a entretenerme un poco porque quería darme una vuelta por Central Park. A ella le gusta mucho esta zona; me dijo que qué suerte, que me fijara bien en todo para contárselo. Me espera despierta, porque está leyendo una novela policíaca muy interesante. A ella no le dan ni pizca de miedo los parques, baja mucho al de Morningside, y eso que dicen que es tan peligroso. ¿Por cierto, sabes tú si han cogido al vampiro del Bronx?

—Hasta ayer por lo menos no. Se me ha olvidado preguntárselo al señor O'Connor... Pero oye, Sara, ahora que lo pienso, ¿y si vuelve la señora Taylor?

—Pues nada, le he dejado una nota diciéndole que se había presentado a buscarme la abuela y que me quedaría a dormir en su casa. Tardará, porque se han ido al cine y Rod duerme en casa de unos primos. Si telefonea a Morningside, por miedo de que le haya metido una mentira, porque ella siempre cree que meto mentiras, la abuela, que ya está compinchada conmigo, le dirá lo mismo. Sé que le va a sentar mal, pero me importa un rábano; ella no es nada mío. Y encima es una cursi.

—Perfecta coartada —sonrió miss Lunatic.

—Sí —dijo Sara—, cuando sea mayor quiero escribir novelas de misterio. Esta noche me estoy inspirando muchísimo.

Caminaron otro rato en silencio. Los pocos transeúntes que se cruzaban con ellas por la acera llevaban un perro sujeto por la correa o iban haciendo *footing* con su chándal y una venda elástica sujetándoles el pelo.

—Oye, madame Bartholdi.

—Dime, preciosa.

—¿Cómo haces para salirte de la estatua sin que nadie te vea y llegar a Manhattan?

El cochecito que las separaba se detuvo en seco. Miss Lunatic miró alrededor. No pasaba nadie.

—Es un secreto —dijo—. No se lo he contado nunca a nadie.

—¿Pero verdad que me lo vas a contar a mí? —preguntó Sara, completamente segura de que la respuesta iba a ser afirmativa.

Miss Lunatic alargó el brazo derecho y su mano y la de Sara se estrecharon silenciosamente por encima de la cesta que contenía la tarta de fresa.

—Te juro —aseguró la niña muy seria— que pase lo que pase, aunque me maten, no se lo voy a contar nunca a nadie, ni a mi abuela..., ni siquiera a mi novio cuando me enamore.

—A un novio menos que a nadie, por Dios, hija, los hombres se van mucho de la lengua.

—Bueno, pues a nadie. ¿Tienes un imperdible? Ahora te digo para qué, ya verás.

—Vaya, menos mal que me estoy divirtiendo con alguien —dijo miss Lunatic, mientras se rebuscaba un imperdible entre la faltriquera—. Me paso la vida dándole yo sorpresas a los demás. Se acaba una hartando. Toma, aquí lo tienes. Afortunadamente ha aparecido. No sé por qué los llaman imperdibles, si siempre se pierden.

Había sacado uno de regular tamaño y se lo tendió a Sara. Ella lo abrió y se lo clavó con decisión en la yema del dedo índice. En seguida brotó sangre.

—Ahora tú —dijo devolviéndoselo a miss Lunatic.

—A mí ya no me sale nunca sangre ni de los dedos ni de la mismísima yugular. Pero espera que me concentre.

Dejó la mano izquierda en suspensión por encima del cochecito y Sara vio que insensiblemente perdía su temblor y desaparecían los nudos que deformaban aquellos viejos dedos. Inmediatamente, la mano derecha, igualmente rejuvenecida, apareció blandiendo el imperdible, que se clavó en un dedo de la otra.

—¡Date prisa! Ahora no pierdas tiempo en mirarme hasta que yo te dé permiso —dijo la voz Bartholdi, que Sara ya había oído en el café de las patinadoras.

La niña obedeció y se aplicó a la tarea de apretar fuertemente la yema de su dedo contra la de aquel otro suave, blanquísimo y rematado por una uña primorosa. Fue cuestión de instantes. Las sangres se mezclaron, y una gota cayó a manchar la servilleta de cuadros que cubría la tarta.

—A quien dices tu secreto, das tu libertad, nunca lo olvides, Sara. Y ahora vamos, hija, que aquí paradas se nota mucho frío.

Pero la voz que estaba pronunciando aquellas palabras, y contó luego lo que se referirá a continuación, ya no era la de la musa del escultor Bartholdi. Ni tampoco la mano abultada por el reúma, que había vuelto a empuñar la agarradera del cochecito, se parecía en nada a la que acababa de donar su sangre.

Reemprendieron ruta. Pero Sara, muy discretamente, se abstuvo de hacer comentarios. Estaba, además, demasiado absorta rumiando aquella especie de acertijo sobre la libertad y los secretos. ¿Querría decir que la estatua, mediante aquel pacto de sangre, le estaba trasladando a ella los atributos de la Libertad? Necesitaba aclarar sus ideas antes de seguir escuchando otra cosa.

—Oye, madame Bartholdi.

—Dime, guapa.

—¿Has leído *Alicia en el país de las maravillas?*

—Claro, muchas veces. Fue escrito veinte años antes de que trajeran la estatua a Manhattan, en 1865. Pero bueno, eso da igual, las fechas me deprimen... ¿Por qué me lo preguntas?

—Es que me estaba acordando de cuando la Duquesa le dice a Alicia que todo tiene una moraleja, si uno sabe descubrirla, y luego le saca una moraleja que es un jeroglífico. ¿Te acuerdas tú?

—Sí —dijo miss Lunatic, apretando el paso—, es en el capítulo nueve, la historia de la Tortuga Artificial: «Nunca te imagines ser diferente de lo que a los demás pudieras parecer o hubieras parecido que fueras, si les hubieras parecido que no eras lo que eres»...

—Eso mismo, ¡qué buena memoria tienes! Pero en lo que estaba pensando yo es en la respuesta de Alicia: «Creo que eso lo comprendería mejor —dijo Alicia con mucha delicadeza— si lo viera escrito, pero dicho así no puedo seguir el hilo». Igual me pasa a mí contigo, madame Bartholdi, lo mismo que le pasaba a Alicia con la Duquesa; que pierdo el hilo.

Miss Lunatic se echó a reír.

—Pero no pretenderás que yo me ponga a escribir todo lo que voy diciendo para que tú tomes apuntes. No llegaríamos nunca a la puerta grande de Central Park. Además tengo la buena costumbre de olvidarme de lo que digo.

—Yo en cambio —dijo la niña—, no pierdo una palabra.

—Pues con eso es suficiente. Hemos quedado en que eres lista, así que ya lo irás entendiendo todo a su debido tiempo. Sigamos, ¿por dónde íbamos?

—Creo que me ibas a contar cómo haces para salirte de la estatua.

—Ah, ya... Pues verás, está resuelto de un modo bastante ingenioso. Tengo un pasadizo secreto por debajo del agua.

—¿Como el del metro? —preguntó Sara fascinada.

—Parecido, pero más estrecho, claro. Entra mi cuerpo con una pequeña holgura de quince centímetros a cada lado. Y de trayecto más corto. Comunica exactamente la base de la estatua con Battery Park; ¿sabes dónde está, no?

—¿Battery Park? Sí —dijo la niña—, en la parte de abajo del jamón, en la confluencia del Hudson con el East River. Pero ¿te metes de cabeza? ¿Y cómo vas? ¿Y no te rozas contra las paredes? ¿Y por dónde sales? ¿Puedo tomar apuntes ahora?

—A ver, cosa por cosa. Saca el plano. Te señalaré el punto exacto por donde salgo y vuelvo a entrar. Aunque no sé si lo vamos a ver bien.

Se pararon debajo de otro farol, y Sara desplegó el plano sobre el cochecito. Miss Lunatic lo dobló por la mitad. Luego hizo ademán de rebuscar algo en su faltriquera. Pero desistió con un gesto de fastidio.

—¡Vaya! Me he olvidado de poner pilas a la linterna, se me gastaron anoche.

—Yo tengo una pequeñita —dijo Sara muy contenta de poder solucionar el inconveniente—. La traigo en la bolsa con el dinero.

—¡Da gusto, hija! Se puede ir contigo a cualquier lado.

A la luz de la linternita de Sara, miss Lunatic le fue marcando con el dedo el itinerario de su pasadizo subacuático desde la islita de la Libertad hasta un lugar de Battery Park, lindando ya con City Hall, el barrio de los financieros. A Sara, que acababa de leer por aquellos días *La isla del tesoro*, le parecía que las explicaciones tan detalladas y concretas de miss Lunatic tenían algo de informe secreto y algo de confesión deliberada, como dando por hecho que ella misma tendría que servirse en breve de aquellos datos.

—Atiende, fíjate bien. ¿Ves ahí una cruz pequeña? Es la iglesia de Nuestra Señora del Rosario. Ahora cruza esta raya marrón y estás en Battery Park. ¿Ves la estación terminal del ferry a la isla? Pues justo entre la iglesia y la terminal del ferry, ahí verás una boca de alcantarilla pintada de rojo con un poste pequeño al lado.

Sara, que esforzaba la vista a la luz de la linternita, levantó la cabeza.

—Pero en el plano no viene eso.

—No, claro —contestó miss Lunatic—, en el plano no. No me interrumpas. El poste cerca de su base tiene una ranura por donde se introduce esta moneda. Toma. Guárdala. ¿Ves?, yo también llevo el dinero en una bolsa.

Sara cogió con gesto incrédulo la moneda de tonos verdosos que le daba miss Lunatic y la examinó a la luz de la linternita. Eran demasiadas cosas. ¿No estaría soñando?

—¿Para qué me das esta moneda? —preguntó emocionada.

—¿Tú qué crees?

—Yo creo que para que pueda volver a verte cuando quiera.

—Eres lista como un rayo. Tiene razón tu abuela. Pues ya te digo, la metes en la ranura y la tapa de la alcantarilla se descorre despacito; sólo se abre con este tipo de moneda, es un sistema parecido al del metro, aunque aquellas fichas son más feas...

—Pero bueno —dijo Sara—, ¿se abre la tapa, aparece el túnel y qué? ¿Hay asientos o algo?

—No. Es mucho más agradable. Dices una palabra que te guste mucho, echas las dos manos por delante, como cuando te tiras a una piscina, y tú no tienes que hacer nada más. En seguida se establece una corriente de aire templado que te sorbe y te lleva por dentro del túnel como volando, sin rozar contra las paredes ni nada. Da mucho gustito.

—¿Y luego?

—Una parada breve en la base de la estatua y decir otra vez la palabra mágica. Entonces asciendes en pocos segundos hasta la copa de la estatua y si quieres puedes salir a la barandilla que tiene en la corona. De noche es muy bonito, porque no hay turistas y se ven brillar al otro lado del río todas las luces de Manhattan. Para volver, lo mismo. También junto a la alcantarilla que sale al interior de la estatua verás un poste rojo con ranura. La moneda te sirve la misma. Porque en cuanto se ha abierto la tapa, la puedes recoger, sale despedida automáticamente. ¿No te olvidarás de nada?

—No te lo puedo prometer —dijo Sara con gesto preocupado.

Anduvieron un rato en silencio. Ya se veían cerca las luces de Columbus Circle, delante de la principal puerta de acceso a Central Park. A Sara le zumbaba la cabeza como si tuviera un enjambre de abejas por dentro. Miss Lunatic le había dicho, al salir del café de las patinadoras, que se despedirían cuando llegaran a esa puerta, y no sabía qué pregunta hacerle primero de las muchísimas que se le atropellaban pidiendo salida.

—Oye, madame Bartholdi.

—Dime, preciosa.

—¿Y dónde dejas el cochecito?

—¡Excelente pregunta! —exclamó ella riendo—. Creo que efectivamente puedes llegar a escribir novelas policíacas bastante estimables. Hay una casetita de madera como para un perro, justo frente a la iglesia de Nuestra

Señora del Rosario, detrás de un árbol. Yo tengo la llave. Precisamente por esa caseta, que está pintada de gris, te puedes guiar para encontrar la tapa de la alcantarilla. Son cincuenta pasos en dirección sudoeste. Ya he visto que llevas brújula. ¿Alguna pregunta más?

—¡Oh, sí, muchísimas! —dijo Sara—. Todas las del mundo. Pero no sé por dónde empezar. Me va a estallar la cabeza. No hay tiempo.

—Pues mira, no, la cabeza que no te estalle. Y tiempo hay, es lo único que hay. Cállate un ratito y piensa. O mejor, no pienses en nada. Es lo que más descansa.

—Pero dame la mano —dijo la niña.

—Bueno.

Miss Lunatic cambió el cochecito de sitio y se puso a empujarlo ella sola con la mano derecha, mientras le daba a Sara la izquierda. Empezó a canturrear una canción que decía:

> Plaisir d'amour
> ne dure qu'un moment;
> chagrin d'amour
> dure toute la vie...

Era una melodía tan dulce que Sara, apretando con una mano la de miss Lunatic y sintiendo dentro de la otra el tacto de la moneda, aspiró el frío de la noche, miró las luces de los rascacielos que rodeaban el oscuro pastel de espinacas y las lágrimas resbalaron como lluvia refrescante por sus mejillas. Y supo que de aquella mezcla tan intensa de pena y alegría no se iba a olvidar jamás.

Se despidieron a la puerta de Central Park. Miss Lunatic creía que ya se le había hecho tarde para la cita que tenía con un señor, pero de todas maneras había otros muchos asuntos imprevistos que la estaban requiriendo en Manhattan.

Y además ella, Sara, tenía que quedarse a solas para conocer la atracción del impulso, la alegría de la decisión y el temor del acontecer. Venciendo el miedo que le quedara, conquistaría la Libertad.

Le aconsejó que se diera un paseíto solitario por Central Park, antes de dirigirse a casa de la abuela. ¿No lo tenía pensado así? Y luego, que en los bosques se pensaba muy bien.

—No quiero que te vayas, madame Bartholdi. ¿Qué voy a hacer sin ti? Me quedo como metida en un laberinto.

—Procura encontrar tu camino en el laberinto —le dijo ella—. Quien no ama la vida, no lo encuentra. Pero tú la amas mucho. Además, aunque no me veas, yo no me voy, siempre estaré a tu lado. Pero no llores. Cualquier situación se puede volver del revés en un minuto. Ésa es la vida.

Sara se empinó para darle un beso. No podía evitar el llanto.

—Y no olvides una cosa —le dijo miss Lunatic—. No

hay que mirar nunca para atrás. En todo puede surgir una aventura. Pero ante las ansias de la nueva aventura, hay como un miedo por abandonar la anterior. Plántale cara a ese miedo.

—No me digas más cosas, madame Bartholdi, porque se me va a romper el corazón. No me podré acordar de todas.

—Bueno, tenía una frase muy bonita para despedirme. Pero la llevo escrita porque es como una oración. Así que tómala, para que no te empaches ahora, y la lees por la noche, cuando estés en la cama.

—Gracias. Voy a tener postre para no sé cuántos días. Para toda la vida... —dijo la niña sorbiéndose las lágrimas—. ¡Si supieras lo que te quiero!

—Yo también. Desde que te vi te quise, y te voy a seguir queriendo siempre. Adiós, vete a dar tu paseo por el bosque, anda. Y Dios te bendiga, Sara Allen.

Sara sacó la bolsita de raso y metió en ella la moneda, la linterna y el papelito doblado que miss Lunatic le acababa de dar. Luego la abrazó de nuevo y, desprendiéndose de sus brazos bruscamente, se echó a correr hacia la gran puerta de hierro forjado que da acceso a Central Park.

Cuando estaba a punto de franquearla, oyó
a sus espaldas una voz que le decía:
—¡Vuelve, Sara! ¡Toma! ¡Se
te olvida la cesta!

F.B
1024

ONCE

Caperucita en Central Park

ara se encontró sola en un claro de árboles de Central Park; llevaba mucho rato andando abstraída, sin dejar de pensar, había perdido la noción del tiempo y estaba cansada. Vio un banco y se sentó en él, dejando al lado la cesta con la tarta. Aunque no pasaba nadie y estaba bastante oscuro, no tenía miedo. Pero sí mucha emoción. Y una leve sensación de mareo bastante gustosa, como cuando empezó a levantarse de la cama, convaleciente de aquellas fiebres raras de su primera infancia. El encuentro con miss Lunatic le había dejado en el alma un rastro de irrealidad parecido al que experimentó al salir de aquellas fiebres y acordarse de que a Aurelio ya nunca lo iba a conocer. Pero no, no era igual, porque a miss Lunatic no sólo la había conocido, sino que había reconocido debajo de su disfraz de mendiga a la Libertad en persona. Y compartía con ella ese gran secreto que las unía. «A quien dices tu secreto, das tu libertad.» ¡Qué bonitas frases sabía! ¿Se las había dicho de verdad? ¿La había visto de verdad cuando se le mudaron la cara, las manos y la voz? ¿O habría sido un sueño? A Alicia todo lo que le pasó era mentira. ¿Pero dónde estaba la raya de separación entre la verdad y la mentira?

Sacó la bolsita del pecho y acarició la moneda verdosa. No, no era mentira. Y le esperaban además otras aventuras. Miss Lunatic se lo había dicho: «Nunca mires para atrás»; la pensaba obedecer, seguir siempre con la vista fija en el camino, sin perderse detalle.

Estaba tan absorta en sus recuerdos y ensoñaciones que, cuando oyó unos pasos entre la maleza a sus espaldas, se figuró que sería el ruido del viento sobre las hojas o el correteo de alguna ardilla, de las muchas que había visto desde que entró en el bosque.

Por eso, cuando descubrió los zapatos negros de un hombre que estaba de pie, plantado delante de ella, se llevó un poco de susto. No en vano el vampiro del Bronx andaba suelto todavía, la propia miss Lunatic se lo había confirmado. Y tal vez aburrido de no encontrarse con víctimas en Morningside Park, bien pudiera ser que hubiera trasladado a este otro barrio su campo de operaciones.

Pero al alzar los ojos para mirarlo, sus temores se disiparon en parte. Era un señor bien vestido, con sombrero gris y guantes de cabritilla, sin la menor pinta de asesino. Claro que en el cine a veces ésos son los peores. Y además no decía nada, ni se movía apenas. Solamente las aletas de su nariz afilada se dilataban como olfateando algo, lo cual le daba cierto toque de animal al acecho. Pero en cambio la mirada parecía de fiar; era evidentemente la de un hombre solitario y triste. De pronto sonrió. Y Sara le devolvió la sonrisa.

—¿Qué haces aquí tan sola, hermosa niña? —le preguntó cortésmente—. ¿Esperabas a alguien?

—No, a nadie. Simplemente estaba pensando.

—¡Qué casualidad! —dijo él—. Ayer más o menos a estas mismas horas me encontré aquí a una persona que me contestó lo mismo que tú. ¿No te parece raro?

—A mí no. Es que la gente suele pensar mucho. Y cuando esta sola, más.

—¿Vives por este barrio? —preguntó el hombre mientras se quitaba los guantes.

—No, no tengo esa suerte. Mi abuela dice que es el mejor barrio de Manhattan. Ella vive al norte, por Morningside. Voy a verla ahora y a llevarle una tarta de fresa que ha hecho mi madre.

De pronto, la imagen de su abuela, esperándola tal vez con algo de cena preparada, mientras leía una novela policíaca, le pareció tan grata y acogedora que se puso de pie. Tenía que contarle muchas cosas, hablarían hasta caerse de sueño, sin mirar el reloj. ¡Iba a ser tan divertido! De la transformación de miss Lunatic en madame Bartholdi no le podía hablar, porque era un secreto. Pero con todo lo demás, ya había material de sobra para un cuento bien largo.

Se disponía a coger la cestita, cuando notó que aquel señor se adelantaba a hacerlo, alargando una mano con grueso anillo de oro en el dedo índice. Le miró; había acercado la cesta a su rostro afilado, rodeado de un pelo rojizo que le asomaba por debajo del sombrero, estaba oliendo la tarta y sus ojos brillaban con triunfal codicia.

—¿Tarta de fresa? ¡Ya decía yo que olía a tarta de fresa¡ ¿La llevas aquí dentro, verdad, querida niña?

Era una voz la suya tan suplicante y ansiosa que a Sara le dio pena, y pensó que tal vez pudiera tener hambre, a pesar de su aspecto distinguido. ¡En Manhattan pasan cosas tan raras!

—Sí, ahí dentro la llevo. ¿La quiere usted probar? La ha hecho mi madre y le sale muy buena.

—¡Oh, sí, probarla! ¡Nada me gustaría tanto como probarla! ¿Pero qué dirá tu abuela?

—No creo que le importe mucho que se la lleve empezada —dijo Sara, volviendo a sentarse en el banco y retirando la servilleta de cuadros—. Le diré que me he encontrado con... Bueno, con el lobo —añadió riendo—, y que tenía mucha hambre.

Acababa de desenvolver la tarta, quitándole el papel de plata, y el olor que desprendía era en verdad excelente.

—No mentirías —dijo el hombre—, porque me llamo Edgar Woolf. Y en cuanto al hambre... ¡Oh, Dios, es mucho más que hambre! ¡Es éxtasis, querida niña! ¡Voy a poder probarla! ¡Qué impaciencia!

Se quitó el sombrero, cayó de rodillas y miraba arrobado el pastel, aspirando sus efluvios con frenesí. La verdad es que su actitud empezaba a parecer algo inquietante. Pero Sara se acordó de las recomendaciones de miss Lunatic y decidió que no tendría miedo.

—¿Tiene una navaja, mister Woolf? —preguntó con total serenidad—. Y, si no le importa, le ruego que no meta tanto las narices en la tarta. ¿Por qué no se sienta tranquilamente aquí conmigo?

Mister Woolf obedeció en silencio, pero las manos le temblaban cuando sacó una navaja de nácar que llevaba, junto con un manojo de llaves, enganchada al final de una gruesa cadena. Partió un trozo con pulso inseguro. Y, procurando controlarse y anteponer la educación a la gula, se lo ofreció a la niña con gesto delicado.

—Toma, tú querrás también. ¿Qué te parece este *picnic* improvisado en Central Park? Puedo decirle a mi chófer que nos traiga unas coca-colas.

—Se lo agradezco, mister Woolf, pero yo la tarta de fresa la tengo un poco aborrecida. Y a mi abuela le pasa igual. Es que mi madre la hace mucho, demasiado.

—¿Y siempre le sale tan bien? —preguntó mister Woolf que, ya sin más miramientos, había engullido el primer trozo de tarta y lo estaba paladeando con los ojos en blanco.

—Siempre —aseguró Sara—. Es una receta que no falla.

Entonces ocurrió algo inesperado. Mister Woolf, sin dejar de masticar ni de relamerse, volvió a caer de rodillas, pero esta vez delante de Sara. Hundió la cabeza en su regazo y exclamaba implorante, fuera de sí...

—¡La receta! ¡La auténtica! ¡La genuina! Necesito esa receta. ¡Oh, por favor! Pídeme lo que quieras, lo que quieras, a cambio. ¡Me tienes que ayudar! ¿Verdad que vas a ayudarme?

Sara, poco acostumbrada a que nadie necesitara algo de ella, y menos tan apasionadamente, experimentó, por primera vez en su vida, lo que es sentirse en una situación de superioridad. Pero este sentimiento quedó inmediatamente sofocado por otro mucho más fuerte: una especie de piedad; deseo de consolar a aquella persona que lo estaba pasando mal. Sin darse cuenta, empezó a acariciarle el pelo como a un niño. Lo tenía muy limpio, suave al tacto y emitía en la penumbra unos reflejos cobrizos muy peculiares. Mister Woolf se fue apaciguando y su respiración entrecortada por suspiros se volvió más rítmica. Al cabo de un rato levantó la cara y estaba llorando.

—Vamos, por favor, mister Woolf, ¿por qué llora? Ya verá como todo se arregla.

—¡Qué buena eres! Lloro por eso, por lo buena que eres. ¿Verdad que me vas a ayudar?

Sara se puso un poco en guardia. Volvió a acordarse fugazmente del vampiro del Bronx. Tampoco convenía dejarse embaucar, sin poner antes las cosas en claro.

—No puedo prometerle nada, mister Woolf —dijo—, hasta entender mejor lo que me pide, saber si puedo concedérselo... y, claro, también qué ventajas tendría para mí.

—¡Ventajas todas! —exclamó él con prontitud— ¡Pídeme lo que quieras! ¡Por difícil de conseguir que te parezca! ¡Lo que quieras!

—¿Lo que quiera? ¿Es usted un mago? —preguntó Sara con los ojos muy abiertos.

Mister Woolf sonrió. Cuando sonreía parecía más joven y más guapo.

—No, hijita. Me encanta tu ingenuidad. No soy más que un vulgar hombre de empresa, pero, eso sí, inmensamente rico. Mira, ¿ves allí aquella terraza con frutas de colores que se encienden?

Sara se subió al banco de piedra y sus ojos siguieron la dirección que le marcaba el índice con sortija de oro de mister Woolf. Entre todos los anuncios luminosos que remataban los altos edificios cercanos al parque, aquél llamaba especialmente la atención. Precisamente en el momento en que Sara lo divisó, estaba produciéndose el estallido final, y un surtidor fantástico de pepitas de oro se elevaba hacia el cielo desde el interior de las frutas.

—¡Oh, qué maravilla! —exclamó Sara.

Mister Woolf rodeó delicadamente su cintura y la ayudó a bajarse del banco.

—¿Cómo te llamas, guapa? —preguntó en un tono tranquilo y protector.

—Sara Allen, señor, para servirle.

—Pues ese edificio es mío, Sara —dijo mister Woolf.

—¿De verdad es suyo? ¿El de las frutitas de luz? ¿También por dentro?

—Sí, también por dentro.

—¿De qué se ríe?

Mister Woolf, en efecto, sonreía divertido y satisfecho mirando a la niña.

—De gusto. Porque me alegro de que te guste tanto a ti.

Los ojos de Sara brillaban de entusiasmo.

—¿Cómo no me va a gustar? Pero a la que le encantaría es a mi abuela. Me estoy acordando de ella. Ya sé lo que le voy a pedir. ¿Puedo pedirle que la deje venir a verlo mañana? Digo también por dentro, y asomarse a la terraza, y a lo mejor que le sirvieran una copita... Bueno, no sé si es pedir mucho. Pero eso la haría completamente feliz. ¿Me lo concede?

—Naturalmente, por favor, yo mandaré a buscarla. Pero eso es poquísimo para lo que te voy a pedir yo a cambio. Eso es una ridiculez. Pídeme otra cosa. Algo para ti, que te haga mucha ilusión a ti. Tendrás algún deseo insatisfecho, supongo.

Sara se quedó pensativa. Mister Woolf la miraba curioso y arrobado.

—¡No me meta prisa, por favor! —dijo ella—; porque entonces no me concentro. Y no se ría tanto de mí. Necesito un ratito para pensarlo.

—Me río porque eres muy graciosa. ¿Quién te mete prisa, mujer? Piensa todo el rato que quieras.

Y notaba Edgar Woolf, efectivamente, que aquella sensación de prisa permanente que le ponía nudos por dentro había desaparecido, sustituida por una extraña calma placentera.

Mientras Sara se paseaba por delante de él con las manos a la espalda y los ojos cerrados, él, sentado en el banco, cortó otra rajita fina de tarta y la degustó más despacio. No, esta vez no se engañaba. Era definitiva. Pero lo curioso es que estaba disfrutando de comerla y de estar en el parque con esta niña. Se acordó de que allí, en aquel mismo claro del·bosque, se había encontrado el día anterior con la extraña mendiga del pelo blanco que le había estado hablando del poder de lo maravilloso. De repente se acordaba con toda claridad de sus palabras, y sintió que le recorría la espalda un inquietante escalofrío.

> Las gentes que tienen miedo a lo maravilloso deben verse continuamente en callejones sin salida, mister Woolf —le había dicho—. Nada podrá descubrir quien pretenda negar lo inexplicable. La realidad es un pozo de enigmas. Y si no, pregúnteselo a los sabios.

Cerró los ojos. Le extrañaba acordarse con tanto detalle. Hacía mucho tiempo, tal vez desde su juventud, que no experimentaba el placer de repasar una idea con los ojos cerrados. Y, al abrirlos, vio los zapatitos rojos de Sara Allen, embutidos en sus calcetines blancos, y con aquel botón redondito en la trabilla. Estaba parada delante de él. La miró con cariño, sonriendo. Tenía razón Greg Monroe: por culpa del negocio, se había negado a sí mismo muchas satisfacciones. Tener un nieto debía ser una cosa muy bonita.

—Creí que se había usted puesto malo o algo —dijo ella con voz preocupada.

—No, simplemente estaba pensando, como antes tú.

—Debían ser cosas buenas.

—Sí, muy buenas. ¿Y tú has pensado lo que me quieres pedir?

Sara, que después de refrescar dentro de su memoria

todas las imágenes contempladas aquella noche, había llegado a la conclusión de que la más impresionante era la de aquella larga pierna de mujer con zapato de cristal asomando por la portezuela de un coche lujoso, gritó triunfante.

—¡Sí! ¡Lo he pensado! ¡Quiero llegar a casa de mi abuela montada en *limusine!* Yo sola. Con un chófer llevándome.

—¡Concedido!

Sara, en un arranque espontáneo, abrazó a mister Woolf, que seguía sentado en el banco y le estampó un beso en la frente. Él se puso un poco colorado.

—Bueno, espera, no te alborotes tan pronto. Todavía no te he dicho lo que te voy a pedir yo a cambio.

A Sara se le cayó el alma a los pies. ¿Qué regalo podía hacerle ella a este hombre tan rico, que tenía de todo? Seguro que se quedaba sin el paseo en *limusine*. Por eso le subió a la cara una ola de alegría cuando le oyó preguntar:

—¿Sabrías tú darme la receta de esta espléndida tarta?

—¡Claro! ¿No es más que eso? Yo no sé hacer la tarta de fresa, eso no, pero conozco el sitio donde se guarda la receta verdadera . En casa de mi abuela, en Morningside.

—¿Y ella querrá dármela?

—Seguro, es muy simpática. Y más si le dices que la vas a invitar a visitar tu piso. Bueno perdona que te llame de tú, con lo rico que eres.

—No me importa nada, me gusta. Además hemos hecho un pacto.

Sara estuvo a punto de decir que era el segundo que hacía aquella tarde, pero se contuvo a tiempo. Era un secreto. De todas maneras, se había quedado un poco pensativa, considerando que lo de la receta no dejaba de ser un secreto también, con lacres y todo. ¡Pero era un secreto tan tonto!

—¿En qué estás pensando? —preguntó mister Woolf.

—En nada. No hay problema. Yo creo que a mi abuela la convences. ¿A ti te gusta ir a bailar?

El señor Woolf la miró desconcertado.

—Hace tiempo que no bailo, aunque el tango no se me da mal.

—Es un pequeño inconveniente —dijo Sara—. A mi abuela le encanta bailar. Ha sido una artista muy conocida. Se llamaba Gloria Star.

—¡Gloria Star! —exclamó mister Woolf, mirando al vacío con ojos soñadores—. Nada podrá descubrir quien pretenda negar lo inexplicable. ¡Qué gran verdad!

—No te entiendo bien. ¿La conoces? —preguntó Sara, mirándole con curiosidad.

—La oí cantar varias veces cuando yo era casi un chiquillo y vivía en la calle 14. Parece un sueño. Era una mujer extraordinaria tu abuela.

—Sigue siendo extraordinaria —afirmó Sara—. Y además, te va a dar la receta de la tarta de fresa. Que no se te olvide.

—De acuerdo. Me consume la impaciencia. Vamos, Sara. Tenemos que salir para casa de tu abuela inmediatamente, cada uno en una *limusine,* ya que a ti te gusta ir sola, según has dicho.

Y levantándose ágilmente del banco en que estaba sentado, se puso el sombrero y cogió a Sara de la mano.

—¿Pero cómo? ¿Tienes dos *limusines?* —preguntó ella cuando echaron a andar.

—No, tengo tres.

—¿Tres? Entonces... ¡eres riquísimo! ¿Y cada una con un chófer?

—Sí, cada una con un chófer. Pero anda más ligera, hija. Déjame la cesta, que te la llevo yo. Mira que cuando le diga a Greg Monroe que voy a conocer a Gloria Star... No se lo va a creer. Y encima, a causa de la tarta de fresa —añadió riéndose—. Dirá que son fantasías, delirios...

—¿Quién es Greg Monroe?

Sus voces y sus siluetas se fueron perdiendo camino de la salida del bosque. De vez en cuando, mister Woolf se inclinaba hacia la niña y se escuchaba, entre la oscuridad de las frondas, el eco de sus risas, interrumpido de vez en cuando por el correteo de alguna ardilla trasnochadora. El frío se había suavizado mucho.

El Rey de las Tartas y Sara Allen, vistos de espaldas y cogidos de la mano, a medida que iban alejándose, formaban una llamativa y peculiar pareja.

Como para encender la envidia

de mister Clinton. Hay que

reconocerlo.

DOCE

Los sueños de Peter. El pasadizo subacuático de madame Bartholdi

n el aparcamiento particular del Rey de las Tartas, se despidieron con un jovial: «¡Hasta luego!».

Edgar Woolf le había cedido a Sara la más lujosa de sus tres *limusines*, la conducida por Peter, su chófer predilecto, no sin antes llamar a éste aparte para hacerle algunas advertencias que le parecían importantes. En primer lugar, convenía que a la niña le diera un buen paseo por Manhattan, procurando alargarlo con algunos rodeos, porque, aunque iban al mismo sitio, él tenía interés en llegar antes. Por otra parte, le encargaba que cuidara a aquella criatura como a las niñas de sus ojos, evitándole toda clase de peligros, pero sin negarle ningún capricho. Peter se había quedado pensativo.

—Esos dos extremos son difíciles de armonizar, señor. Perdone que se lo diga. Porque los niños suelen encapricharse precisamente de lo más peligroso.

Mister Woolf, pendiente de las evoluciones de Sara por el *parking*, mientras él hablaba con Peter, le miró sorprendido.

—¿Ah, sí? ¡No lo sabía!

—Pues con todos mis respetos, señor, lo debería saber. Además, parece revoltosa. Mírela ahora mismo. Está, si no me equivoco, tratando de hurgar en el extintor de incendios.

—Me doy cuenta, Peter —comentó su amo sonriendo— de que he elegido bien al guía de mi joven amiga. ¿Cómo sabe usted tanto de niños?

—Muy fácil. Tengo cuatro, señor.

—¿Ah? ¿Tiene cuatro niños? —preguntó sorprendido mister Woolf.

Y de pronto se sintió un poco avergonzado. A pesar de lo contento que decía estar de los servicios del fiel Peter, aquélla era la primera vez en siete años que conocía algún detalle de su vida particular. Era el tipo de fallos humanos que le solía reprochar el viejo Greg Monroe. Y comprendió que tenía razón. Pero ahora no quería pensar en eso.

Cuando ya había dejado cómodamente instalada a Sara en el asiento trasero de la *limusine* número uno, y él estaba entrando en la número dos, Robert, el chófer que mantenía abierta la portezuela, le avisó:

—Mister Woolf, parece que la señorita a quien acompaña Peter quiere decirle algo.

Sara, en efecto, había bajado la ventanilla y asomaba su rostro encendido de emoción y alegría, al tiempo que le hacía señas para que se acercase. Él se apresuró a acudir.

—Se me olvidaba decirte una cosa muy importante —dijo la niña—, agáchate para que me oigas mejor. Si llegas antes que yo, puede que la abuela no se acuerde de dónde tiene guardada la receta. Es un poco despistada. Dile que la he visto yo el otro día en el cajón de arriba del secreter.

—De acuerdo. Lo malo es si no me abre. Quizá no se fíe.

—¡Que sí! Si fuera mamá... Pero ella no tiene nunca miedo, ¡hasta baja al parque de Morningside! Ah, y dile que yo llego en seguida. ¿Llevas las señas bien apuntadas?

—Que sí, guapa, no te preocupes —dijo mister Woolf, dando visibles muestras de impaciencia—. Las señas y el teléfono. ¿Vas a gusto?

—¡Muy a gusto! No me lo puedo ni creer, ¡y qué mullidito está...! y luego tantos botones. ¿Puedo abrir el bar?

—Sí, hija, puedes hacer lo que quieras. Y si tienes alguna duda, le hablas a Peter por ese telefonito.

—¡Qué maravilla! Pues hasta luego, Dulce Lobo.

—Hasta luego, Sara —dijo mister Woolf, dándole un beso y sonriendo—. ¡A surcar Manhattan, y que te diviertas!

—¡Lo mismo digo!

Edgar Woolf se metió en su *limusine,* se arrellanó en el asiento y se puso a pensar en lo que le había dicho miss Lunatic sobre los milagros. Cuando él tenía dieciséis años, se había enamorado locamente de una chica pelirroja, maravillosa e inalcanzable. Sería como unos ocho años mayor que él. Era dulce, sensual y descarada. Y, a pesar de que jamás había llegado a cruzar una palabra con ella, por culpa de su timidez, durante tres cursos fue incapaz de concentrarse en el estudio y se estuvo gastando todos sus ahorros en irla a oír cantar a los lugares más inverosímiles. Luego había perdido su pista por completo.

Pero todavía guardaba un clavel seco que una vez ella se había sacado del pecho, para tirárselo, después de besarlo. Se lo tiró a él, a aquel adolescente desgarbado, hijo de un modesto pastelero de la calle 14. Tal vez lo conociera de vista y se hubiera llegado a percatar de lo mucho que él la amaba desde lejos. Acababa de cantar *Amado mío*, la canción que hizo célebre a Rita Hayworth en *Gilda*. Y le había sonreído dos veces mientras la cantaba. Luego se sacó el clavel del escote y lo besó antes de mandárselo por el aire. Y él lo había cogido en el cuenco de sus manos y lo había besado también. Después se habían mirado. Los ojos verdes de ella lo taladraban serios y risueños al mismo tiempo. El vestido que llevaba también era verde. Fue una noche de marzo en un *music-hall* pequeño de la calle 47 que se llamaba Smog y que ya no existía. A pesar del tiempo transcurrido, Edgar Woolf jamás había podido olvidar aquella noche en que su mirada se había cruzado tan intensamente con la de Gloria Star.

—¿Adónde vamos, señor? —preguntó Robert, a través del telefonillo interior de la *limusine*—. Lo digo porque con las fiestas, y a estas horas, hay que evitar las calles de más tráfico.

Edgar Woolf miró a través de la ventanilla y se dio cuenta, como entre sueños, de que ya habían salido a la Quinta Avenida.

—¡A Morningside por el camino más corto! —ordenó a Robert.

Luego encendió la luz del pequeño bar y se sirvió un whisky con hielo.

Peter conducía Quinta Avenida abajo con gesto reconcentrado y ausente, tan pronto atento a evitar el roce de las motos contra la carrocería impecable de la *limusine,* como tratando de colarse entre otros vehículos para adelantarlos. A veces exploraba de reojo, a través de la ventanilla, la posibilidad de zigzaguear hacia calles laterales, burlando una señal que prohibía torcer por aquel sitio.

La costumbre de acompañar a mister Woolf en sus excursiones de pesquisa pastelera por los distintos barrios de Manhattan había añadido a su pericia de conductor una rapidez de reflejos y una astucia más dignas de fugitivo al margen de la ley que de chófer elegante e impasible. Su perfecta sincronización con aquel obediente y ligero volante plateado había llegado a tal punto que lo consideraba más que un aliado, una prolongación de su piel y sus deseos. Lo malo es que el verdadero dueño de la *limusine* nunca alababa sus proezas; es más, parecía que ni se daba cuenta de lo que le costaba realizarlas. Porque mira que era difícil parar donde él le mandaba, a veces en seco, y estarle esperando a la puerta de donde se metiera, sin tener ni idea de si iba a tardar mucho o poco; ¡y que una *limusine* no es una bici, caramba! Aunque hay que reconocer que del dinero que el jefe le daba para propinas a porteros y sobornos a guardias nunca le pedía cuentas luego. Pero así y todo, a veces hubiera sido preferible un guiño amistoso, un golpecito en la espalda y: «no sé cómo lo ha logrado, Peter», «es usted un artista», «vamos a tomarnos un café en ese bar, Peter» o «esta vez, de verdad, creí que nos llevaba por delante esa ambulancia», y haberse reído juntos; son cosas que se agradecen.

Viajar con mister Woolf por Manhattan, como solía comentar Peter con Rose, su mujer, era igual que llevar una maleta en el asiento trasero. Y ella se reía mucho porque estaba locamente enamorada de su marido. Pero luego le entraban remordimientos y le reñía por burlarse de un jefe tan bueno.

El sueño de Peter era verse protagonizando una película de persecuciones, donde el automóvil vencedor sortea audazmente toda clase de obstáculos, salta por encima de policías boquiabiertos, vadea riachuelos, desciende sin dar vueltas de campana por abruptas pendientes y deja a sus espaldas toda clase de estragos, catástrofes y vehículos en llamas. Lo suyo, desde luego, era el riesgo.

A Rose le había confesado algunas noches aquellas fantasías, que ella procuraba no fomentarle, aunque le hacían gracia y las encontraba fascinantes. Soñar no costaba nada, al fin y al cabo. «Tú servías para guionista de cine, cariño —le decía algunas veces—. O, no sé, para piloto de guerra.» «Sí, ya, para cualquier cosa que no sea pasarse las horas muertas en un sótano inmenso con otros dos tíos ciegos de aburrimiento como yo, a ver si al jefe se le ocurre mandarnos algo, que ya estoy de luz de neón hasta las narices.» Pero, como Rose era sensata y práctica, se daba cuenta de que compadecer a su marido cuando se quejaba así equivalía a darle alas y conducirle a aventuras sin salida. Porque Manhattan es un vertedero donde gusanean los miles de ángeles caídos del reino de la ilusión, de las nubes del sueño. El trabajo estaba fatal, ellos acababan de tener el cuarto niño, y encontrarse a fin de mes con un sueldo tan fabuloso como el que Peter recibía de mister Woolf era hablar con la Divina Providencia. Y Rose lo sabía.

Aunque luego, cuando al final del día ponía películas en el vídeo, las que más le emocionaban eran las que contaban las aventuras de aquellos soñadores caídos al fango con las alas rotas. Eso sí.

En vísperas de Navidad, los coches y autobuses que circulan por Manhattan se ven forzados a ir a paso de tortuga. No les queda otro remedio. Las calles céntricas, que naturalmente son las más atractivas, se convierten en un hormiguero humano que bulle y se empuja por las esquinas, entre los puestos de vendedores ambulantes, en las paradas de autobús, en los pasos de peatones. Y esa masa de peatones, cuando cierran sus puertas las oficinas, se incrementa con los que salen vomitados sin cesar de la boca del metro y bracean como nadadores contra corriente para alcanzar la puerta de unos grandes almacenes donde pasar la tarde haciendo compras y desplazándose de una sección a otra en escaleras metálicas.

La *limusine,* aunque muy despacio, había ido dejando atrás la catedral de San Patricio, el Rockefeller Center con su pista de patinaje, la Biblioteca Nacional... Y ahora, a la altura del Empire State Building, cabía la alternativa de torcer hacia la Avenida de las Américas para ver los escaparates de Macy's y seguir bajando hacia el Village.

Pero es que daba todo igual. Peter echó una mirada hacia atrás y comprobó que la niña vestida de rojo seguía dormida. ¿Quién sería aquella niña? ¿Alguna nieta del jefe? Por lo que él había oído decir, mister Woolf era un solterón incorregible. Pero bueno, podía haber tenido algún desliz de juventud y ser una nieta bastarda. O una hija, a saber; tampoco era tan viejo el jefe, y Rose decía que tenía muy buena pinta. «Trátela como a las niñas de sus ojos», le había encargado. Y también que no le quitara ningún capricho, que le diera un paseo bonito como de una hora y que luego la llevara a una casa del barrio de Morningside, cuyas señas le había apuntado en un papel. Allí había gato encerrado, era todo rarísimo. Pero después de todo, lo que Rose le decía: «Tú no te metas donde no te llaman, Peter, tú eres un mandado...». Y estaba obedeciendo en todo. Menos en lo de los caprichos. Porque, ¿qué caprichos se le iban a poder dar a una niña que llevaba diez minutos dormida? Y el caso es que al principio no paraba de preguntarle cosas por el teléfono interior, que para qué era este botón y el de más allá, que si se podía tomar una coca-cola, que cómo se llamaba aquella calle, y venga a decir que aquello era igual que una casita misteriosa, y a encender luces y a correr las cortinillas y volverlas a descorrer. La verdad es que era muy simpática y muy graciosa. Como de la edad de Edith, la mayor de Peter. Y tenía la misma cara de diablo. Se ve que había caído cansadísima. Después de todo, mejor que no se despertara, más cómodo para él. Aunque de esa manera, la inutilidad de aquel viaje se acentuaba.

Peter se puso a acordarse de su Edith. Muchas veces le había prometido traerla un día a ver los escaparates de la Quinta Avenida y a subir al último piso del Empire. A Edith le fascinaba Manhattan, porque ellos vivían en Brooklyn, y siempre le estaba pidiendo: «Anda, papá, guapo, llévame a Manhattan, que allí es donde pasan todas las aventuras». Pero nunca tenía tiempo de alimentar los sueños de su hija ni de ver cumplidos los suyos. ¡Qué porquería de vida!

Y de pronto, se sintió perdido como una gota de agua en el mar proceloso de Manhattan, caído del reino de la fantasía con las alas rotas, rodando por las calles de uniforme prestado, y llevando dentro de un lujoso coche prestado a una niña dormida y vestida de rojo, una niña prestada, que no era su Edith, pero de la que tenía que cuidar. Todo estaba al revés, todo era un puro absurdo, un puro préstamo.

A través de la ventanilla, veía las fachadas de los edificios adornadas con gigantescas coronas de acebo, con lazos, con bambis, con angelitos tocando la trompeta y con papás noeles; escuchaba un concierto de músicas cruzadas y estridentes que parecían venir de todas partes, de la tierra y del cielo. Los escaparates competían en imaginación y lujo. Delante de algunos, la aglomeración de público era tan grande que la cola daba la vuelta a la manzana. Eran los que exhibían figuras en movimiento, como actores llevando a cabo una función dentro de un minúsculo escenario. Las decoraciones en miniatura representaban paisajes nevados, restaurantes antiguos o interiores de casas ricas. Y los muñecos que protagonizaban la escena se movían con tal verismo bajando escaleras, abriendo paquetes o deslizándose en trineo, que sólo les faltaba romper a hablar.

Sara se despertó y se frotó los ojos. Estaba soñando que se había vuelto pequeñita y que iba metida dentro del carricoche de miss Lunatic. Durante unos instantes, el suave vaivén de la *limusine*, que acababa de bordear Washington Square para enfilar hacia el sur de la calle Lafayette, la mantuvo en esa especie de duermevela que separa todavía lo soñado de lo real. Pero de pronto, miró más atentamente a su alrededor, se enderezó y se acordó de todo. Iba en la *limusine* de mister Woolf. Las cortinillas de gasa corridas dejaban pasar, a su través, las luces movedizas de la calle. Era ella misma la que había corrido las cortinillas, para concentrarse en el recuerdo de sus aventuras, porque había llegado a la conclusión de que tenía que elegir entre lo de fuera y lo de dentro. Pero ahora le daba mucha rabia haberse perdido lo de fuera. Corrió las cortinillas y miró a ver si descubría el nombre de la calle por donde iban pasando. El coche ahora circulaba con mayor fluidez y desahogo. Parecía un barrio muy bonito, pero como más de pueblo. Se veían casitas bajas y la gente circulaba a un ritmo más pacífico. No veía ninguna placa con nombre de calle. Dio la luz, sacó el plano y lo desplegó encima de una mesita de caoba que se abría tirando de una argolla. Se lo había explicado antes de dormirse el chófer. ¿Cómo se llamaba el chófer? Miró sus espaldas cuadradas embutidas en la chaqueta gris con hombreras de oro, los mechones de pelo rubio que le asomaban por debajo de la gorra de plato. ¡Peter! Se llamaba Peter. De lo que no se podía acordar bien es de si era simpático o antipático. Habían hablado poco, y de cosas sin mucha sustancia. Tal vez al final había contestado a sus preguntas un poco nervioso. Cogió el telefonillo.

—Peter...

—Diga, señorita. ¿Ha descansado bien?

—Demasiado bien. Pero no me debías haber dejado dormir tanto. ¿Cuánto tiempo llevo dormida?

—Una media hora, calculo.

—¡Pero de Central Park a Morningside no se tarda media hora en un coche tan bueno!

Peter creyó más oportuno no contestar. Estaba acostumbrado a la discreción, y le había parecido entender que su jefe no tenía demasiado interés en que la niña llegara antes que él a Morningside. Pero por otra parte, ¡iban a la misma casa! Acababa de caer en la cuenta. ¿Quién viviría en aquella casa? Luego le saldría Rose con que no se metiera donde no le llamaban. Claro, se dice muy fácil. Y encima con la niña ya completamente despierta, que por el espejo retrovisor bien le veía en los ojos las ganas de freírle a preguntas. Se sonrió levemente acordándose otra vez de Edith.

—¿Me has oído, Peter? Dime, por lo menos en qué barrio estamos. A mí me parece que te has equivocado, que vamos en dirección sur.

—¿Es que tiene usted mucha prisa?

A Sara de repente se le agolparon en la imaginación todas las escenas vividas aquella noche, y no fue capaz de calcular si habían pasado horas o años. ¿Qué sentido podía tener hablar de algo como prisa, cuando se han perdido las referencias del tiempo? Miss Lunatic le había dicho que ella nunca tenía prisa cuando rondaba una buena conversación. Pero con este Peter no se acababa de entender si quería darle conversación o meterla en un lío. Y además, la abuela la estaría esperando. Consiguió leer el rótulo de una de las calles, aprovechando una parada de semáforo, e inmediatamente consultó el plano.

—¡Pero si estamos más abajo de Chinatown, Peter!

—Eso parece, veo que se orienta bien, señorita.

—¡Es que tengo un plano! ¡Y no me llames señorita! Me llamo Sara. No me digas ahora que no vamos hacia el sur. ¡Me estabas liando!

La voz de Peter se dulcificó. A duras penas conseguía ocultar la risa.

—Bueno, guapa, pues no te llamaré señorita. Es que me daba pena despertarte, pero ahora damos la vuelta. Ya estarán las calles del centro más despejadas.

De repente los ojos de Sara, que saltaban continuamente del plano a lo que iba vislumbrando por la ventanilla, se encendieron con un fulgor triunfal:

—¡¡No!! ¡No des la vuelta ahora! ¿No es éste ya el barrio de los financieros?

—Sí, pero a estas horas está muy muerto. Eso cuando hay que venirlo a visitar es por las mañanas, cuando corre a manadas el dinero por aquí. Lo que veo es que te conoces Manhattan como la palma de la mano. ¿Llevas muchos años viviendo por aquí?

—Por desgracia vivo en Brooklyn, hijo. ¿De qué te ríes?

—De que me has recordado a una hija mía, que también vive en Brooklyn, y también lo considera una desgracia. Debe ser de tu edad. Pero te aseguro, Sara, que ella, si hubiera tenido la suerte de poder dar este paseo en *limusine,* no se hubiera dormido.

—¡No me lo recuerdes, que bastante rabia me da ya a mí sola! ¿Y cómo se llama tu hija? Si vive en Brooklyn igual la conozco... ¿Pero qué estás haciendo? ¡No des la vuelta, Peter, te he dicho! Estamos cerca de Battery Park, ¿verdad?

—Sí, muy cerca.

—¡Entonces llévame allí, por lo que más quieras! ¿Cómo se llama tu hija?

—Edith.

—¡Pues te lo pido por Edith!

Al llegar a Battery Park, Sara le suplicó a Peter que detuviera la *limusine* porque ella quería bajarse a ver desde allí la estatua de la Libertad, que nunca la había visto más que en foto.

—Es sólo un momentito. ¡Verla y ya! Aquí mismo, ¡anda, Peter!

El tono de su voz volvió a recordarle al chófer el de su hija Edith, cuando se encaprichaba de una cosa, y cedió.

Pero se quedó con los ojos como platos cuando, en el momento en que le estaba sujetando la portezuela para que se bajara, aquellos zapatitos colorados que acababan de asomar tomaron un impulso vertiginoso, y la niña salió corriendo como un gamo. Cuando Peter quiso darse cuenta ya se había perdido en la oscuridad, entre la masa fantasmal de los árboles.

Se le puso un nudo en la garganta y no sabía qué hacer. Tenía que dejar aparcada la *limusine* en un sitio mejor para salir luego en su busca, por si se complicaba aquella imprevisible captura. Pero, por otra parte, era una locura perder tiempo. Aquellos parajes eran bastante peligrosos de noche. Ya no se trataba de cumplir mejor o peor un encargo de mister Woolf. Se trataba de proteger la vida de una niña de diez años, traviesa, inconsciente y audaz, como su propia hija lo era. Y empezó a llamarla a voces, en tono autoritario y destemplado, sin el menor miramiento.

—¡Sara, vuelve acá! ¡No me des estos sustos, condenada! ¿Dónde te has metido? ¡Vuelve! ¿Me oyes? ¡Por favor, no hagas el imbécil! ¡Ya verás los azotes que te vas a ganar!

Pero no obtuvo respuesta y se puso a mascullar maldiciones entre dientes contra mister Woolf y contra su propio sino.

—¡Lo que hay que aguantar, madre mía! ¡Vamos, mira que también la ocurrencia! «Trátela como a las niñas de sus ojos y no le quite ni un capricho.» Ya se lo advertí, que no era tan fácil. Y luego, encima, capaz de venirme con culpas.

Estaba fuera de sí. Miró alrededor. Era un lugar desierto. Ni una maldita cabina de teléfonos, ni un transeúnte. Por fin, trató de tranquilizarse y pensó que lo más acertado era ir cosa por cosa. Logró encontrar un hueco más o menos seguro para dejar el coche, lo aparcó y lo dejó cerrado. Luego se internó a paso vivo en el parque solitario. A medida que avanzaba, sin dejar de llamar a voces a la niña, se sentía más desorientado y su marcha se volvía más cautelosa. ¡Condenada chiquilla! Como se hubiera escondido para darle un susto, de un bofetón no la libraba nadie, por muy ahijada o pariente del jefe que pudiera ser.

Entretanto Sara, escondida detrás de unos arbustos y con ayuda de la linternita, había conseguido localizar en el plano el lugar exacto donde se encontraba. Muy cerca de la perrera donde miss Lunatic guardaba su cochecito. El corazón le latía muy fuerte cuando, por fin, la encontró. Estaba cerrada con candado y pintada de gris. No podía ser otra.

Tuvo que respirar hondo y sostenerse contra ella para no desfallecer de la emoción. Mejor dicho, lo que hizo fue agacharse y sentarse con la espalda apoyada contra su pared trasera, porque la caseta gris era bajita. Si se quedaba de pie, Peter podría descubrirla. Y estaba visto que lo de menguar de tamaño sólo lo podía conseguir Alicia. O ella misma cuando iba metida, en sueños, dentro del cochecito de miss Lunatic. Casi no se atrevía a respirar, allí escondida. La verdad es que era una emoción mezclada de miedo. Pero miss Lunatic le había dicho que, frente a las aventuras nuevas, siempre se siente algo de miedo y que no hay más remedio que vencerlo.

Se puso de pie y sacó la brújula. Pero antes de recorrer los cincuenta pasos que, según los informes secretos, separaban aquel lugar de la alcantarilla que daba acceso al pasadizo, levantó la mirada y vio brillar a lo lejos, más allá de los árboles y al otro lado del río, la antorcha de la Libertad. Y se sintió poderosa como la diosa misma que la mantenía en alto; no era el momento apropiado para desfallecer ni para andarse con contemplaciones. ¡Adelante!

La alcantarilla roja apareció en seguida, y junto a ella

estaba el poste. Lo palpó. Efectivamente, a media altura, se apreciaba al tacto la ranura por donde había que introducir la moneda verdosa. Cuando la sacó de la bolsita, los dedos le temblaban. Pero tenía que mantener la sangre fría. Había llegado el momento definitivo. Se volvió a guardar la bolsa en el escote, metió la moneda en la ranura y esperó unos instantes, casi temblando, porque además le parecía oír un ruido de pasos.

—«¡Miranfú!» —exclamó decidida, con los ojos tan fijos en la alcantarilla que casi le dolían.

Y una voz colérica contestó a sus espaldas, sobrecogiéndola aún más de lo que estaba:

—¡Si no mirara quién eres, sinvergüenza, te daba una paliza que te ibas a acordar!

Retiró a toda prisa la moneda. Pero le había dado tiempo a comprobar que el invento funcionaba, porque la tapa de la alcantarilla había empezado a deslizarse muy lentamente, dejando a la derecha como un cuarto menguante de oscuridad abismal. En cuanto quitó la moneda, volvió a cerrarse.

Entonces ella fingió que se había agachado para hacer pis y que se estaba subiendo las bragas. La moneda se la metió dentro de un calcetín.

Peter no se había dado cuenta de nada. Estaba demasiado atento a cogerla por un brazo, como si temiera que pudiera volvérsele a escapar, y a insultarla sin tino.

La metió de malos modos en el coche, mientras ella, con voz sumisa, inventaba pretextos absurdos y le pedía toda clase de perdones. Fue capaz de desplegar tal mimo y astucia que a los cinco minutos ya se había metido a Peter en el bolsillo, le preguntaba por su hija, hacía comentarios sobre el rascacielos de mister Woolf y se había vuelto a entablar entre ellos una conversación más o menos amistosa.

Sara se sentía poseída de una particular verborrea, que no le impedía, sin embargo, atender a sus emociones secretas. Era como una rara capacidad —jamás experimentada antes— de hablar por un lado, pensar por otro y fantasear por otro, como si estuviera bifurcada en tres ramales. Se enteraba perfectamente de lo que le iba diciendo Peter y podía elegir su propia respuesta, sin dejar de sentir, al mismo tiempo, una alegría interior que nunca iba a querer ni poder —lo sabía— compartir con nadie.

Pero también pensaba con un poco de preocupación en la abuela y en cómo le habría sentado la visita de mister Woolf, porque la abuela era muy especial y no le gustaba todo el mundo. Igual había metido la pata al darle sus señas, sin previa consulta, a aquel hombre que, al fin y al cabo, era un total desconocido, por rico que dijera ser y todas las señas lo confirmaran.

Entre estas reflexiones y la conversación con Peter, al que por cierto poca cosa logró sonsacar de la vida privada de su amo, transcurrió sin sentir el viaje de vuelta.

De lo que sí pudo darse cuenta Sara es de que la aventura ya la llevaba ella para siempre metida en el alma. Lo que ocurría en el exterior de Manhattan, al otro lado de la ventanilla, había dejado por completo de interesarle.

Peter debió coger una autopista o algo, porque durante
todo el camino circularon muy aprisa.
Ella se tomó una coca-cola.
A la media hora, estaban
en Morningside.

TRECE

Happy end, pero sin cerrar

uando Robert, medio adormilado dentro de la *limusine* parada junto a un cubo de basura, oyó un tamborileo en los cristales, se espabiló lleno de sobresalto. Pero en seguida se tranquilizó al reconocer a Peter. Llevaba la gorra en la mano y el pelo rubio le brillaba bajo el resplandor de un farol. Le señaló con gesto interrogante el portal de enfrente.

Robert, aún un poco amodorrado, vio que la niña vestida de rojo, a quien el jefe despidió en el *parking*, estaba abriendo aquel portal con un llavín que se sacaba del bolsillo y cómo se volvía sonriente para decir adiós a Peter con la mano.

Luego se metió, y a la luz de la escalera, que acababa de encenderse, ambos chóferes vieron desaparecer como una huella fugitiva su silueta roja.

—Que me maten si entiendo algo —dijo Peter a Robert, que había bajado la ventanilla de su *limusine* y contemplaba la escena con aire sonámbulo.

—¿Pues qué pasa?

—Eso pregunto yo. ¿Tú sabes quién vive en esa casa?

—Ay, chico, yo ni idea. Yo me he limitado a traer a mister Woolf, que me ha dicho que igual se entretenía un poco, y aquí llevo esperándolo como hace tres cuartos de hora. No sé, serán personas de su familia. Por la niña lo digo, sobre todo. ¿A ti también te va a tocar esperar?

—A mí no, a mí la chavala me ha dicho que ya no me necesita, que ella se queda a dormir en casa de su abuela.

—Pues chico, ¿a qué esperas? Lárgate. ¡No tienes poca suerte!

Peter, por toda contestación, dio la vuelta al coche y le pidió con un gesto a Robert que le abriera la puerta por aquel lado. Una vez sentado junto a él, sacó una cajetilla de Winston y encendió el primer pitillo de la noche.

—¿Pero no te habías quitado de fumar? —le preguntó el otro.

—Sí, en ésas ando. Pero hay días que no aguanta uno ya tanta tensión.

Volvió a mirar hacia la fachada de enfrente. En el piso séptimo había una luz encendida. Luego, acercándose un poco más a su compañero, como si temiera ser oído por alguien, dijo en tono apagado y misterioso:

—Todo esto es rarísimo. Ni la niña ni la vieja son familia suya, no le tocan nada.

—Ay, hijo —se asustó Robert—, tiene razón tu mujer cuando dice que te debías dedicar a escribir guiones de cine. ¿A qué vieja te refieres?

—A la abuela de la niña, a la que vive ahí. ¿Tú la has visto?

—Yo no. ¿Cómo la voy a haber visto? ¿Por qué lo dices?

—Por saber cómo es, la pinta que tiene. Vamos, no me digas que no es raro que al jefe, que nunca sale, le dé hoy de repente por venir a este barrio a visitar a una gente que no le toca nada. Y luego, él en un coche y la niña en otro...

—Bueno —admitió Robert—, eso sí es un poco chocante, pero a lo demás no le veo yo tanto misterio. Si no son familia suya, serán amigos antiguos, ¡qué más da...!, y se habrán visto en un apuro. Ya sabes que el jefe es generoso. Y máxime ahora, siendo días de Navidad...

Peter le miraba con superioridad, como quien se asombra de la ingenuidad ajena.

—Tú es que siempre le andas buscando tres pies al gato —continuó Robert—. Porque además, ¿tú cómo sabes que no son familia?

—Ni familia ni amigos. Me lo ha dicho la niña. Precisamente me ha venido intentando sonsacar a mí cosas del jefe, preguntándome que si me parecía buena persona. Pidiéndome informes, vamos. ¡A mí!

En los ojos de Robert se encendió por primera vez una chispa de intriga.

—¡Oye, qué raro parece eso!

—¡Pues claro! ¿No te lo estoy diciendo? A la niña la ha visto hoy por primera vez en Central Park, y con su abuela no ha hablado en la vida...

—Igual lo inventa —aventuró Robert.

—Pues si lo inventa, más raro me lo pones.

Mientras dentro de la *limusine* número dos se mantenía esta conversación furtiva, Sara Allen, no menos furtivamente, había llegado al séptimo y había abierto con una vuelta silenciosa de llave la puerta de casa de su abuela. Pensó sin saber por qué: «Todavía es sábado». Y le pareció rarísimo.

Si no llevara ya a estas alturas del sábado el alma tan cargada de emociones como la llevaba, esta entrada a hurtadillas y de noche en la casa de Morningside (quitando incluso el detalle de haber llegado en *limusine*) le hubiera parecido una escena de sueño. Porque ¡había soñado tantas veces y desde hacía tanto tiempo con que entraba por la noche y sin compañía de nadie en la casa de Morningside!

La puerta no había hecho ningún ruido. Se detuvo en el vestíbulo y contuvo la respiración. Del cuarto de estar, sobre un fondo de música suave, venía un rumor de risas y cuchicheos.

Sara, conforme avanzaba despacito por el pasillo, se dio cuenta de que iba pisando el haz de luz tenue que salía por la puerta entreabierta del cuarto de estar, como un camino de esperanza a seguir entre la tiniebla. Se acercó y asomó un poquito la cabeza por la ranura de la puerta.

La abuela, vestida de verde, giraba en brazos del Dulce

Lobo, a los sones de *Amado mío*, que se estaba oyendo en el *pick-up*. De vez en cuando echaba la cabeza para atrás y su pareja se inclinaba hacia su oído y le decía algo que la hacía reír. Encima de la mesita había una botella de champán abierta y dos copas a medio llenar. Arrellanado en su butaca, dormitaba el gato Cloud.

Sara retrocedió tan sigilosamente como había avanzado. Se detuvo unos instantes apoyada en la pared y se abrazó a sí misma, cruzando los brazos por delante y posando las manos en sus propios hombros. Con los ojos cerrados, escuchaba extasiada los sones de aquella música entre dulce y picante, y se sentía palpitar el pecho tembloroso. Mister Woolf era un poco más alto que la abuela. Y era mentira que no bailara bien. Se sintió invadida por un inexplicable desfallecimiento, una especie de languidez que le bajaba por las piernas.

Fueron unos instantes nada más. En seguida reaccionó. Su intuición le avisaba de que ella allí estaba estorbando, y comprendió que no le convenía ser descubierta. Así que se dirigió con decisión hacia la salida.

Luego, cuando ya había cerrado otra vez la puerta, había dado la luz de la escalera y estaba esperando el ascensor de bajada, se dio cuenta de que no sabía dónde ir. La escena contemplada le había producido una felicidad indescriptible, pero era como si la hubiera visto en el cine. Ahora se había acabado la película. Había sido preciosa. Pero eran cosas que no le habían pasado a ella. Se sentía un poco como expulsada del paraíso.

Al salir del ascensor, se apagaron las luces del portal.

Bajó casi a tientas los cuatro escalones de mármol sucio y desgastado que llevaban a la puerta de la calle. No quería volver a dar la luz; prefería explorar desde dentro, sin ser vista, los peligros que podían acecharle fuera. Porque una sola cosa tenía clara: estaba decidida a huir.

A través del cristal, protegido por unos hierros en forma de cruz, vio en la acera de enfrente las *limusines* aparcadas una detrás de otra. En el asiento delantero de la primera, distinguió la silueta de los dos conductores. Sara le había dicho a Peter que se fuera, que ella ya no le necesitaba, pero se ve que no tenía ganas de dormir todavía. Le pasaría lo que a ella. La siesta por la Quinta Avenida le había dejado la cabeza completamente despejada.

De pronto, se acordó de miss Lunatic, a la que tenía olvidada hacía bastante rato, entre unas cosas y otras. Se apareció ante ella con total nitidez, rodeada de rayitos de luz, tal como la había visto en el metro cuando estaba llorando sin saber qué decisión tomar y levantó los ojos desde los zapatos gastados que se habían detenido enfrente de los suyos a aquel rostro bondadoso que le sonreía bajo el sombrero. Igual la estaba viendo ahora.

«Aunque no me veas, yo no me voy —le había dicho al despedirse—, siempre estaré a tu lado.»

Sara se agachó a palparse el calcetín. Hurgó durante unos instantes muy nerviosa con los dedos metidos entre sus blancas mallas y la piel del tobillo, hasta llegar angustiada a la planta del pie. ¡Hasta allí se había escurrido la moneda mágica! Menos mal, ¡qué alivio! ¡Miranfú! Mira que si la hubiera llegado a perder.

En sus labios se dibujó una sonrisa de felicidad. Acababa de notar que una lucecita se le encendía por dentro de la cabeza a manera de bombilla dibujada en la nubecita de un cómic. Había tomado su decisión.

Metió la llave en la cerradura del portal y lo abrió despacito. El frío de la calle fue para ella como una bocanada de estímulo. Estaba espabiladísima. Ahora se trataba simplemente de esquivar a Peter, que no podía servirle más que de estorbo en su propósito, según había quedado demostrado.

Así, agachándose por detrás de los coches aparcados en la acera de enfrente a la de las *limusines,* agazapada a trechos tras los contenedores de basura, alcanzó, a través de desmontes y callejuelas, la cuesta que partiendo de Morningside Park bordea la fachada sur de San Juan el Divino. Pensó vagamente que por aquellos barrios, tal vez no demasiado lejos de allí, existió en tiempos una librería que ella nunca había llegado a conocer: El Reino de los Libros.

El taxista que se paró en Amsterdam Avenue para atender a las aparatosas señales de aquella niña vestida de rojo iba ya de retirada. Pero, a pesar de que a sus sesenta años ya no había nada en Manhattan capaz de provocar su extrañeza, una curiosidad superior a él le había hecho frenar en seco. La calle, por aquel tramo, estaba casi completamente desierta.

—¿Hacia dónde vas? —preguntó, bajando la ventanilla y mirándola de arriba abajo.

—¡A Battery Park! —fue la respuesta clara y contundente de la niña, al tiempo que agarraba el picaporte y abría la puerta amarilla del taxi.

El hombre puso en marcha el taxímetro y la miró otra vez antes de arrancar. Ella se había acomodado tranquilamente, con una actitud desafiante y segura, totalmente impropia de su edad.

—Di tú que porque me pilla de camino —comentó el taxista—. Porque si no ya a estas horas...

—Me alegro de que le pille de camino —contestó la niña serenamente—. Para mí también ha sido una suerte grande.

El taxista se abstuvo de momento de hacer más comentarios. Pero no podía dejar de mirarla de vez en cuando por el espejo retrovisor, atento a cualquier dato que pudiera servirle de pista sobre su identidad. No tenía por costumbre molestar a sus viajeros con pregunta ninguna. Pero los gestos exactos y tranquilos de aquella extraña pasajera le sumían en la mayor perplejidad. Parecía totalmente ajena a cuanto pudiera desarrollarse a su alrededor. Unas veces consultaba un plano que llevaba desplegado junto a ella en el asiento, iluminándolo con una linternita. Otras hurgaba en la bolsa de raso y lentejuelas de donde había sacado aquella linternita. Otras se quedaba extática y con los ojos fijos en un punto invisible. Pero en ningún momento se borraba de su rostro una sonrisa que parecía transfigurarla.

Fue un trayecto totalmente silencioso. Pero cuando ya estaban llegando cerca de su destino, el taxista, venciendo una timidez que no le era precisamente habitual, se atrevió a volver la cabeza, aprovechando la parada de un semáforo, y a preguntar:

—¿Dónde quieres que te deje, guapa?

—Cerca de la estación del ferry, por allí. No hace falta que llegue.

—Pero el ferry a estas horas no funciona —comentó el taxista—. ¿No lo sabes?

—Sí, claro, ya lo sé.

—¿Pues entonces...?

—¿Entonces, qué? —contestó la niña cortante.

—Que qué se te ha perdido a ti a estas horas en Battery Park.

—Podría contestarle que es asunto mío. Pero ya que le produce tanta curiosidad, le diré que he quedado allí con una amiga.

Cuando el taxi se paró, la niña consultó el precio de la carrera en el taxímetro y arrojó unos billetes arrugados en el cauce ovalado de metal incrustado en la cristalera de separación. Inmediatamente, abrió la portezuela y se echó a correr.

—¡Pero aquí sobra mucho! —exclamó el taxista, bajando la ventanilla.

La niña se detuvo a la entrada del parque y le miró sonriendo, mientras le decía adiós con la mano.

—¡Quédese con la vuelta! ¡Son viles papeluchos!

El taxista, mientras la miraba desaparecer corriendo entre las frondas como una saeta, se quedó mascullando:

—Lo que me extraña es que no haya más crímenes de los que hay. ¡Mira que dejar salir sola a estas horas a una chiquilla de semejante edad! No sé en qué estarán pensando los padres.

Sara, antes de introducir nuevamente la moneda en la ranura del poste junto a la alcantarilla, se acordó de una cosa. No había leído todavía el papelito que le dio miss Lunatic. Le había dicho que lo leyera en la cama. Pero a saber dónde acabaría ella durmiendo esa noche. Así que se sentó en el suelo y lo sacó de la bolsa. Era un papel color malva, pero mucho más grande que el que sacó el día de su cumpleaños del pastelito que le pusieron de postre en el chino, donde decía que mejor se está solo que mal acompañado. Se quedó unos instantes paralizada. ¡Ayer! ¿Pero su cumpleaños había sido ayer? Bueno, resultaba increíble. Mejor no pensar en ello.

Desplegó el mensaje y lo leyó a la luz de su linternita. Decía:

> No te hice ni celestial ni terrenal,
> ni mortal ni inmortal, con el fin de
> que fueras libre y soberano artífice
> de ti mismo, de acuerdo con tu designio.

Y debajo ponía entre paréntesis: (Pico della Mirándola, Juan—. Filósofo renacentista italiano, aficionado a la magia natural. Murió a los 31 años.)

Metió la moneda en la ranura, dijo: «¡Miranfú!», se descorrió la tapa de la alcantarilla y Sara, extendiendo los brazos, se arrojó al pasadizo, sorbida inmediatamente por una corriente de aire templado que la llevaba a la Libertad.

Nueva York, 28 de agosto de 1985.
Madrid, 28 de febrero de 1990 (miércoles de ceniza).

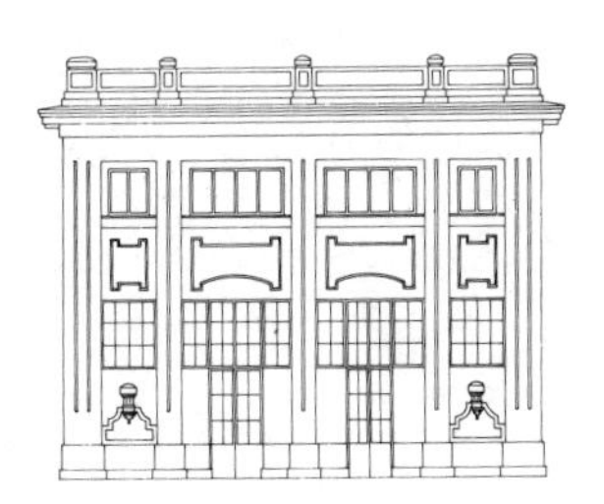

ESTE LIBRO SE ACABÓ DE IMPRIMIR

EN EL MES DE OCTUBRE DE 1991

EN MADRID

LAS TRES EDADES

1 El Final del Cielo
Alejandro Gándara
Ilustraciones de Ops

2 Los Perros de la Mórrígan
Pat O'Shea
Ilustraciones de Alfonso Ruano Martín
Traducción de Francisco Torres Oliver

3 Caperucita en Manhattan
Carmen Martín Gaite
Ilustraciones de la autora

4 Narradores de la Noche
Rafik Schami
Traducción de Antón Dieterich

5 Fraenze
Peter Härtling
Traducción de Miguel Ángel Vega
Ilustraciones de Jesús Gabán

6 El Jardín Secreto
Frances Hodgson Burnett
Traducción de Isabel de Río Sukan

7 La Novia del Bandido
Eudora Welty
Traducción de Javier Fernández de Castro
Ilustraciones de Luis de Horna

8 KAI, EL DE LA CAJA
Wolf Durian
Traducción de Roberto Blatt

9 FLOR DE MIEL
Alice Vieira
Traducción de Eduardo Naval
Ilustraciones de Federico Delicado

10 EL RATÓN Y SU HIJO
Russell Hoban
Traducción de Francisco Torres Oliver
Ilustraciones de Pau Estrada

11 EL REY ROJO
Victor Kelleher
Traducción de Andrea Morales
Ilustraciones de Dionisio Ridruejo

ISBN: 84-7844-056-9
Depósito legal: M. 32.731-1991

Impreso en Closas-Orcoyen, S. L.